THE DEAD SEA SCROLLS OF THE HEBREW UNIVERSITY

Edited by

E. L. SUKENIK

THE MAGNES PRESS

THE HEBREW UNIVERSITY JERUSALEM 1955

Prepared for the press by

N. AVIGAD

PRINTED IN ISRAEL
Printed by the Publishing Department of the Jewish Agency for Palestine
at Goldberg's Press in Jerusalem (Plates and Introduction) and the Government Press
in Tel-Aviv (Transcription)
Collotype plates printed by Cotswolds Publishing Company Ltd., Wotton-Under-Edge, Glos., England

Dedicated to the memory of

MATTITIAHU SUKENIK

PREFACE

THE scrolls recently found in a cave near the Dead Sea constitute the most important discovery made in our generation in the field of Israel's ancient literature. For the first time copies of books actually written down in the days of the Second Temple have come into our hands, some of them Biblical texts, others works of whose existence we hitherto knew nothing. Three of the Dead Sea Scrolls, owned by the Hebrew University, the *Second Scroll of Isaiah, The War of the Sons of Light with the Sons of Darkness,* and the *Thanksgiving Scroll* are published in full in the following pages.

The volume appears after the death of Professor E. L. SUKENIK, who devoted the last years of his life to investigating the scrolls and projected a large and comprehensive scheme for publishing them. He planned an extensive and elaborate work in which the facsimile plates and transcription would be complemented by a full annotation modelled on his treatment of several parts of the scrolls in *Megilloth Genuzoth* I and II, the preliminary reports brought out under the auspices of the Bialik Foundation. He also intended to include an exhaustive analysis of the problems connected with the study and elucidation of the scrolls. As time went by, he found he had constantly to recast and expand his design, in order to incorporate all the important material published on the other scrolls which has bearing on those in the possession of the Hebrew University. Publication was also delayed by adventitious technical difficulties. Eventually, the severe illness to which Professor Sukenik fell prey after he had sent a goodly portion of the plates to be printed abroad so retarded matters that he died without seeing the fruits of his labour.

After his death, in 1952, the Hebrew University appointed a committee to deal with publishing the scrolls. Its members were: Professor B. Mazar, President of the University, Chairman, Dr. N. Avigad, Mr. S. Ginosar, Professor L. A. Mayer, Professor M. Schwabe, Maj.-Gen. Y. Yadin. In order to reduce further delay to a minimum, this committee thought it well to bring out a less ambitious book, without annotations, and so decided upon the present form of this volume, viz., facsimile tables, a faithful transcription, and an Introduction compiled from Professor Sukenik's Introductions to *Megilloth Genuzoth* I and II supplemented by certain descriptive material, which would enable the reader to grasp the general character of the scrolls.

Since the volume appears after Professor Sukenik's death, we have also included a few extracts from his diary. These notes briefly record his reactions from the moment he saw the first fragments of the scrolls and realised the significance of the find to the time he began his scholarly investigations.

The committee requested Dr. Avigad to organise and prepare for the press the material left behind by Prof. Sukenik. In this task Dr. Avigad was loyally aided by Mr. Jacob Licht. Maj.-Gen. Yadin's counsel was also of invaluable assistance.

Grateful acknowledgment is also extended to all the others who had a share in publishing this volume. The book has been brought out with the aid of a grant received by Professor Sukenik from Rabbi Abba Hillel Silver of Cleveland, Ohio. The University of Louvain, Belgium, placed valuable photographic materials at Prof. Sukenik's disposal. The laboratory of the Morgan Library, New York, prepared the first infrared photographs. Mr. and Mrs. J. Biberkraut provided notable assistance, the first in the treatment and unrolling of the scrolls, the second in photographing them. Acknowledgment is also due to the Cotswolds Publishing Company Ltd. for its competent printing of the collotype plates; to the Government Printing House in Tel-Aviv for its devoted care in printing the transcription; to Goldberg's Press in Jerusalem for the printing of the screen plates; to Dr. D. A. Fineman who translated the Introduction into English; to Mr. Israel Yeivin who read the proofs of the transcription; and finally, to Dr. Moshe Spitzer, from whose advice we have benefited in all stages of the printing.

The following pages contain the rare and precious scrolls which Professor Sukenik acquired at great personal effort for the Hebrew University. Devoting the best of his abilities and his strength to studying and deciphering these manuscripts, he was cut down in the midst of his task. May this volume be a worthy memorial to the distinguished investigator of our country's antiquities.

CONTENTS

ILLUSTRATIONS

PLATES

INTRODUCTION

Fig. 1. The entrance to the cave in which the scrolls were found

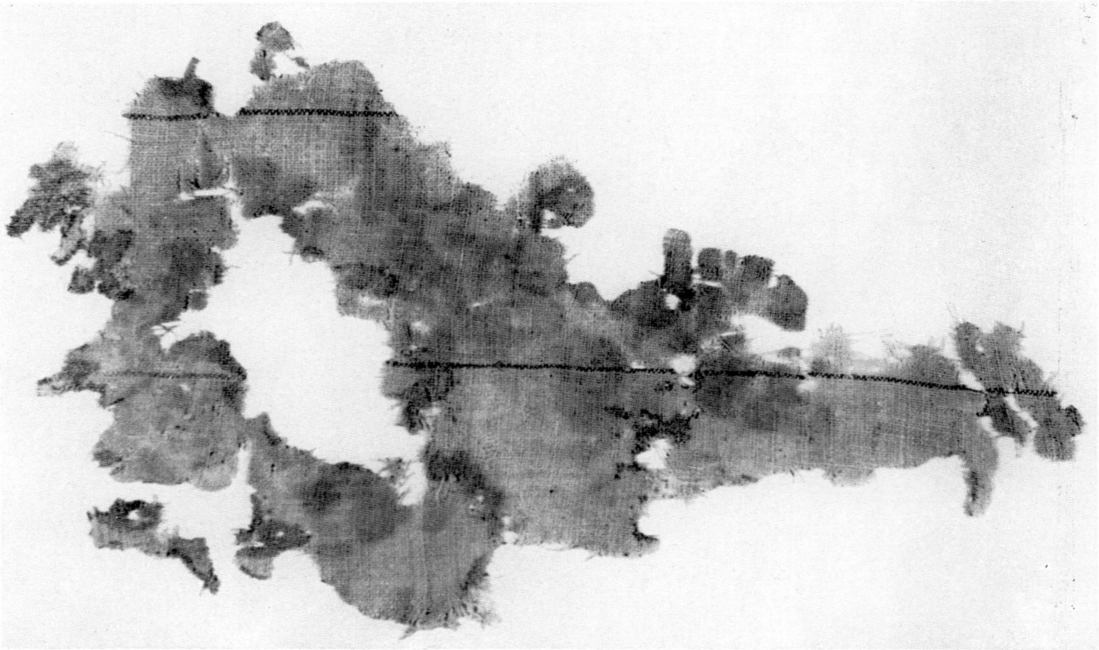

Fig. 2. A piece of the fabric found in the cave and presumably used to wrap the scrolls. The stripes are blue.

Fig. 3. Another piece of fabric from the cave

Fig. 4. The two whole jars taken from the cave

THE DISCOVERY AND ACQUISITION OF THE SCROLLS

WE know neither the exact date when the Dead Sea Scrolls were discovered nor precisely what adventures they underwent immediately afterwards. Presumably the discovery took place some time in the late spring of 1947, when one or more shepherds of the Beduin Ta'amira tribe, while out tending their flocks, chanced upon a cave in which they found several jars containing the scrolls. As nearly as I can piece together the story from what was later told me, the following sequence of events then supervened. The Beduin offered one of the scrolls, the *Isaiah*, to a Moslem antiquities dealer in Bethlehem, but having no conception of how ancient a manuscript he had in his hands, the latter refused to pay the £P 20 which the sellers asked. Rebuffed here, the Beduin next applied to a shopkeeper of the Syrian Orthodox community in Bethlehem, who passed the word on to a friend of his, a merchant in Jerusalem. Through this channel, news of the find reached Mar Athanasius Samuel, the Syrian Orthodox Metropolitan at St. Mark's Monastery in the Old City of Jerusalem. Mar Samuel presently bought several of the newly discovered scrolls. (Later on, towards the end of January, 1948, Mr. Anton Kiraz, a member of the Syrian Orthodox community in Jerusalem, informed me that he had been the Bishop's partner in the transaction.) The Bishop showed the scrolls in his possession to various people, among them several members of the Dominican École Biblique et Archéologique Française in Jerusalem, who considered the manuscripts to be of late date. In the latter part of the summer the Bishop discussed the find with a Jewish physician, Dr. M. Brown, and asked for his opinion. Dr. Brown notified the President of the Hebrew University, the late Dr. J. L. Magnes, who promptly requested the Hebrew University and National Library to send two staff-members to look into the matter. Shortly afterwards two library representatives duly presented themselves at the monastery, where the Metropolitan showed them a portion of the scrolls with the remark that they had been concealed in another monastery of his order, near the Dead Sea. After scrutinizing the material, the library staff-members told the Metropolitan that they were beyond their depth and would therefore ask the Library to send more specialized experts to examine the scrolls. But before the Library was able to send the more qualified people, the Metropolitan left for Syria, taking the scrolls with him, and then the growing political tension in Palestine put a temporary halt to further negotiations.

Since I had been on leave from Palestine during the academic year 1946-1947, I knew nothing of the events described above at the time they occurred. My first inkling of something in the wind came on a memorable day, November 25, 1947, when a Jerusalem dealer in antiquities showed me a fragment of a scroll written in an ancient square script which looked familiar. The form of the letters seemed to resemble that of the ossuary inscriptions found in and about Jerusalem since the middle of the nineteenth century. The fragment had been brought to him, the dealer declared, by a Bethlehem colleague who had obtained it in turn from some Beduin who, so they said, had found it along with some other scrolls in one of the caves on the northwest shore of the Dead Sea. The Bethlehem dealer wanted word sent back to him whether I thought it worth his while to acquire the scrolls from the Beduin and whether I was willing to buy them from him. For a moment or two I hesitated, finding it difficult to make up my mind on the basis of a tiny fragment, which for all I knew might turn out to be a fraud. But I soon overcame my doubts and said Yes. On November 29 I met the Bethlehem dealer and on this occasion bought several bundles of coarse parchment from him along with two earthenware vessels in which the Beduin said the scrolls had been stored. November 29 was, it will be recalled, the very day on which the United Nations announced the partition of Palestine, a decision immediately followed by an outbreak of violence which severed virtually all relations between Jews and Arabs in the country. Nevertheless, by dint of much effort and trouble, I managed to maintain negotiations with the Arabs involved in the affair, and even succeeded in acquiring certain additional parchments and in removing the jars I had purchased from Bethlehem to Jewish Jerusalem.

I showed the scrolls I had acquired to several of my colleagues at the Hebrew University. Though to a man they displayed the liveliest interest, they were hesitant about pronouncing the scrolls to be of unquestioned antiquity. The President of the University, however, Dr. J. L. Magnes, gave me his fullest support and encouragement, even making available the initial funds needed for purchasing the scrolls. And I was very fortunate in finding in Jerusalem a qualified expert, Professor J. Biberkraut, who could undertake the delicate task of unfolding the crinkled and compacted scrolls.

In early December, 1947, one of the two University and National Library staff-members who had visited the Syrian Orthodox Metropolitan told me about the scrolls which he and his associate had seen at St. Mark's Monastery. The Bishop's tale about the scrolls having been concealed in a monastery of his order near the Dead Sea sounded most suspicious, and the possibility at once occurred to me that these scrolls too were part of the Beduin find.

I sought some way of getting into the Old City so that I might see the scrolls with my own eyes, but in vain - all ingress was completely blocked off. Nor was there any hope of satisfying my curiosity until, in the second half of January, 1948, I received a letter from Mr. Anton Kiraz, a member of the Syrian Orthodox community, saying that he had in his possession some old scrolls which he would like me to see. But how and where could we meet ? The disorder and violence prevalent in Jerusalem had completely cut off the Jewish and Arab quarters from one another. Since our rendezvous could take place only at a neutral point within the limits of the new Jerusalem, we chose the YMCA building, then included in Security Zone B as established by the Mandatory Government. And so, armed with the special pass required for entrance into this area, I there met with my Syrian Orthodox correspondent. He and the Bishop, he told me, having shown the scrolls to several experts who held them to be of no significant antiquity, had resolved to bring them to me for an opinion. As soon as I saw them I was convinced that they were part and parcel of the same group of scrolls which I had acquired for the Hebrew University's Museum of Antiquities. Mr. Kiraz admitted that his scrolls had been found in a cave north-west of the Dead Sea. He had lately visited the place with the Beduin, he said, and added some details about the cave and what could still be found in it. He even suggested that I meet him at the Potash Works at the north end of the Dead Sea and from there accompany him to the cave to inspect its remaining contents for myself. Promising him an early answer, I asked whether he was willing to sell the scrolls in his possession to the Hebrew University. He agreed to do so and proposed that we meet with the Metropolitan in order to negotiate the purchase. For the moment he turned three of the scrolls over to me for examination. I showed these new scrolls to Dr. Magnes and to two of my University colleagues. One was a sectarian manual of discipline, another the Book of Isaiah (DSIa), of several chapters of which I made a personal copy. On Friday, February 6, as I had promised, I returned the scrolls to Mr. Kiraz. He asked me to name the price we were prepared to pay for the scrolls. After a little chaffering, he undertook in the near future to fix another meeting, to which Dr. Magnes and the Metropolitan, Mar Samuel, would be invited, so that we might conclude the transaction in their presence.

Later on this very day Mr. Isaac Greenbaum and Mr. Moshe Gordon of the Bialik Foundation came to see me at my home. (I had informed Mr. Gordon of the find some time before, and he had told Mr. Greenbaum.) To our common regret, I had already returned the scrolls to their owners, and all I could show my two visitors was the part of the scrolls I had already acquired. Even so they were most enthusiastic over the find. So impressed with its significance was Mr. Greenbaum that he proposed to refer the matter to Mr. David Ben Gurion, then Chairman of the Executive Council of the Jewish Agency, and ask him to make available the funds I needed in order to acquire the scrolls in the Syrian Orthodox Metropolitan's possession. About a fortnight later, though I had not yet heard from Mr. Kiraz, Mr. Greenbaum arrived from Tel-Aviv bearing the heartening news that the Executive Council of the Jewish Agency, through its Bialik Foundation, would provide the entire sum needed for acquiring the scrolls from the Metropolitan. The Bialik Foundation had indeed already made an interim allocation for processing the scrolls currently in my hands. I needed this help, Dr. Magnes having left on a trip to America.

The weeks now began to accumulate since my returning the scrolls to Mr. Kiraz, and still I received no letter from him fixing another appointment. As his silence continued, I grew more and more apprehensive about the fate of the scrolls. At last, towards the end of February, I received a letter from him saying that his co-religionists had decided to postpone selling the manuscripts until relations with the outside world were restored and they could ascertain their proper value. He assured me, however, that as soon as this was done the Hebrew University would have the option of first refusal of the manuscripts. I afterwards learned that on February 19, 1948, a Syrian Orthodox monk had brought the scrolls to the American School of Oriental Research in Jerusalem and authorised the members of the School to photograph and publish the documents. It was this development, apparently, which made the Syrian Orthodox representatives decide to put us off. The Americans further persuaded them that their scrolls would be in jeopardy unless removed from Palestine, and so they were finally transferred to the United States.

In April of the same year it was announced in America that members of the American School of Oriental Research had been the first to identify certain scrolls preserved in the library of the Syrian Orthodox monastery in Jerusalem, among them one containing the whole Book of Isaiah, as belonging to a period before the destruction of the Second Temple. Since this information was inaccurate, I thought it needful on April 26 to issue a statement to the press calculated to set matters in their proper light.

By this time the scrolls had aroused such great interest in the learned world that the Bialik Foundation asked me to prepare a preliminary report on the find. This report appeared in September 1948 as a brochure entitled *Megilloth Genuzoth* I. About the same time the members of the American School also published certain important facts as well as photographs of some of the scrolls which had reached America. [1]

[1] [Three of the four scrolls transferred to America have since been published in definitive form: *The Dead Sea Scrolls of St. Mark's Monastery*, ed. Millar Burrows, with the assistance of J. C. Trever and W. H. Brownlee, Vol. I, *The Isaiah Manuscript and the Habbakuk Commentary* (New Haven, Conn., 1950), Vol II, Fascicle 2, *The Manual of Discipline* (New Haven, Conn., 1951). A second preliminary report by Prof. Sukenik appeared in 1950, entitled *Megilloth Genuzoth* II.]

DIARY EXCERPTS

November 25, 1947: To-day I met X [antiquity dealer]. A Hebrew book has been discovered in a jar. He showed me a fragment written on parchment. *Genizah* ? !

November 27, 1947: At X's [the dealer's] I saw four pieces of leather with Hebrew writing. The script seems ancient to me, very much like the writing on the Uzziah inscription. Is it possible ? He says there are also jars. I looked a bit and found good Biblical Hebrew, a text unknown to me. He says a Beduin of the Ta'amira tribe brought it to him.

November 29, 1947: This morning I was at X's. Again I looked at the parchments, they suggest odd thoughts. In the afternoon I went with X to Bethlehem. I saw the jars, and it's difficult for me to say anything about their date. I took them.

This evening we heard that the partition proposal had been accepted by more than a two-thirds majority. Congratulations!

December 1, 1947: X says that we shan't see one another in the near future because of the Arab strike, proclaimed for the next three days.

I read a little more in the "parchments". I'm afraid of going too far in thinking about them. It may be that this is one of the greatest finds ever made in Palestine, a find we never so much as hoped for.

December 5, 1947: More killings. The strike was over today, but not the violence. The find leaves me no peace. I'm bursting to know what will come of it all. It might turn out that the neighbourhood has many things of this sort. Who knows what surprises still await us.

December 6, 1947: Night. I sit and think and think about the scrolls. When will I see more of them ? Patience, patience.

December 21, 1947: Days of awe. I contacted X. We're to meet tomorrow at noon near the gate [to the Security Zone].

I came. I bought another scroll in very bad condition.

January 13, 1948: I went to the main Post Office [near the border]. X came. He promised to get in touch with Bethlehem. I said the *Hagomel* blessing as I left [a blessing said upon being saved from mortal danger].

December 31, 1948: An historic year in our people's history has concluded. A painful year—Matti* died, God bless him!

Were it not for the *Genizah*, the year would have been intolerable for me.

* [The author's youngest son, lost in action as a fighter-pilot]

THE CAVE AND ITS CONTENTS

THE cave in which the scrolls were found lies about 12 kilometres south of Jericho and four kilometres north of 'Ein Feshkha. It is, in the main, a natural formation in the steep rock which rises about two kilometres from the western shore of the Dead Sea. Excavations were carried on here from the middle of February to March 5, 1949, under the joint supervision of Mr. Lankester Harding, Director of the Department of Antiquities of the Kingdom of Jordan, and Father R. de Vaux, Director of the Dominican École Biblique et Archéologique Française at Jerusalem. [2]

From the very start the excavators perceived that they had been anticipated by unskilled hands. It would appear that first the Beduin and afterwards those who purchased the scrolls from them had rummaged wantonly for new spoils, quite mixing up the archaeological layers in the process, and while they were at it, even smashing many of the earthenware jars which had contained the manuscripts. Scattered about the cave were bits of the fabric in which the manuscripts had been wrapped.

Partly no doubt as a result of this destruction, Mr. Harding and Father de Vaux unearthed no more whole manuscripts in their excavations. They salvaged from the rubble only numerous manuscript fragments, none bearing more than a few lines of writing. Out of several hundred such fragments, the great majority show only indistinct traces of letters. Of the decipherable fragments, two apparently form part of the *Thanksgiving Scroll* in the possession of the Hebrew University (see below, p. 39), while the rest include many scraps of Biblical texts and bits and shreds of other works as yet unknown or unidentified. [3] Besides the fragments of parchment, some scraps of papyrus also turned up, bearing square Hebrew characters and even one bearing Greek letters.

The fabric found in the cave consisted of square and oblong pieces of linen measuring 40-50 cm. on each side, some of them decoratively interwoven with narrow blue stripes and having hemmed borders. Everything about the form and condition of these pieces of linen indicates that they were designed for the express purpose of wrapping the scrolls. They are recognizably the *mitpahoth hasepharim* or the scroll wrappers

[2] [Father de Vaux has published a full report on the excavation in *Revue Biblique* LVI (1949), 586 et seq. Additional excavations were carried out both near the cave and in the general area surrounding it and were reported on in the same periodical, vol. LX (1953), 83 et seq., 245 et seq., and 540 et seq., vol. LXI (1954), 206 et seq.]

[3] [A full description of the fragments of books found in the cave was presented in *Revue Biblique*, LVI (1949), 597 et seq. See also *Megilloth Genuzoth* II, p. 53.]

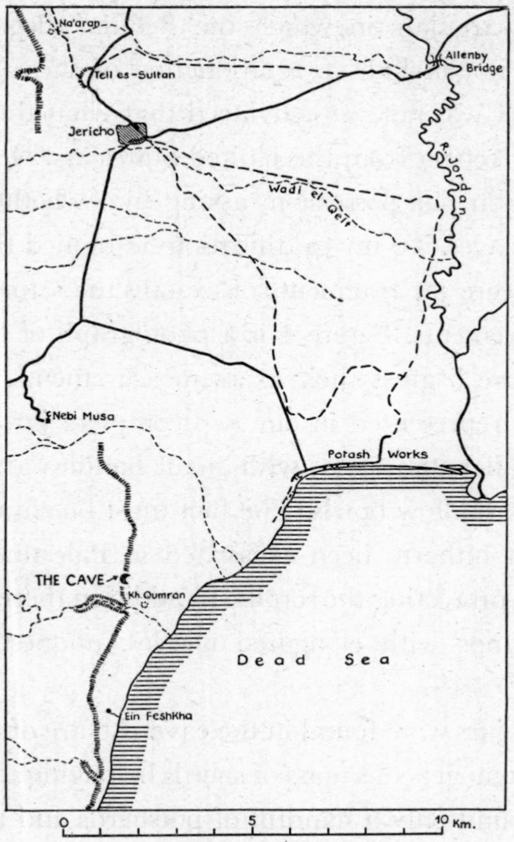

Fig. 5. Map showing location of the cave

mentioned time and again in Talmudic literature. Our sages ascribe a degree of sanctity to them, greater than that of the chests in which the books were kept, yet less than that of the books themselves. Thus the *Mishnah* observes (*Megillah* III, 1): "A community that sells a street may use the money to buy a synagogue; and it may sell a synagogue to buy a bookchest, or a chest to buy scroll wrappers [*mitpahoth*], or wrappers to buy books, or books to buy a Torah, but it may not sell a Torah to buy books, or books to buy wrappers, or wrappers to buy a chest", etc. - As early as January 1948 I had learned from Mr. Kiraz of the existence of the pieces of fabric enveloping the scrolls. The Beduin told him, he said, that a bad smell came from the fabric and they had therefore ripped it off the scrolls. The scientific examination of the cloth devolved upon Mrs. G. M. Crowfoot in England. [4]

[4] [A report on the pieces of fabric has been published by G. M. Crowfoot: "Linen Textiles from the Cave of Ain Feshkha in the Jordan Valley", *Palestine Exploration Quarterly* (Jan.-Apr. 1951), pp. 5-31. Through Mrs. Crowfoot's kindness we have received two samples of the fabric found in the cave. For photographs of these samples see Figs. 2 and 3.]

Along with the scrolls I acquired in Bethlehem, as I have already observed, I also purchased two earthenware jars in which the Beduin allegedly claimed the scrolls had been found. I did not include a reproduction of these jars in my preliminary report since at the time I was not yet convinced that what the sellers said about them was trustworthy. On my return from the United States in 1949, I sent Father de Vaux sketches of the two jars in our possession, asking him whether they corresponded to the sherds found in the caves. To my gratification he replied that the numerous sherds excavated in the caves were jar fragments of exactly the same type, some corresponding even in their measurements. Figure 4 is a photograph of the two complete jars in our possession, and Figure 6 gives their exact measurements. The vessels in the cave were of two types, both represented in our two complete jars: the larger is perfectly cylindrical, and the smaller almost so, with small handles attached to the shoulders. The lids of both jars are shallow bowls. The fact must be emphasised that jars of precisely this sort have not hitherto been excavated in Palestine. They appear to have been made especially for protecting the scrolls. In addition there were also found parts of two Hellenistic type lamps with elongated nozzles, unquestionably anterior to the Roman period (Fig. 7).

Sherds of close to fifty jars were found in the cave. All are of the same types described above. Aside from this homogeneous mass of sherds belonging to the end of the Hellenistic period, there were found only a handful of potsherds and the nozzles of two lamps belonging to the Roman period, approximately the third century, C.E. On the evidence of the sherds it can be determined that the books were put away at a date not later than the first century B.C.E.[5] The date at which the scrolls were written must necessarily have been still more remote.

As early as January, 1948, I inferred from Mr. Kiraz' description of the cave and its contents that it had not been opened for the first time in our day. My supposition was confirmed by the excavators, who reported that, to judge from many of the potsherds, a number of the jars were broken at a period much earlier than our own. I have already pointed out, in *Megilloth Genuzoth* I (p. 15), that the Church Fathers record how in the year 217 C.E. Hebrew and Greek manuscripts of holy writings were discovered "in Jericho", concealed in earthenware vessels. One of these manuscripts, a Greek translation of the Book of Psalms, was used by Origen for his *Hexapla*. It is quite possible that the repository of hidden manuscripts near 'Ein Feshkha is the source

[5] [Father de Vaux also came to this conclusion in his first account of the fragments found in the cave (*Revue Biblique*, LVI [1949], 596). Later, when a jar resembling those in the cave was found in a building excavated nearby (Khirbet Qumran), Father de Vaux inclined to a somewhat later date for the jars in the cave (*Revue Biblique*, LX [1953], 104-105.]

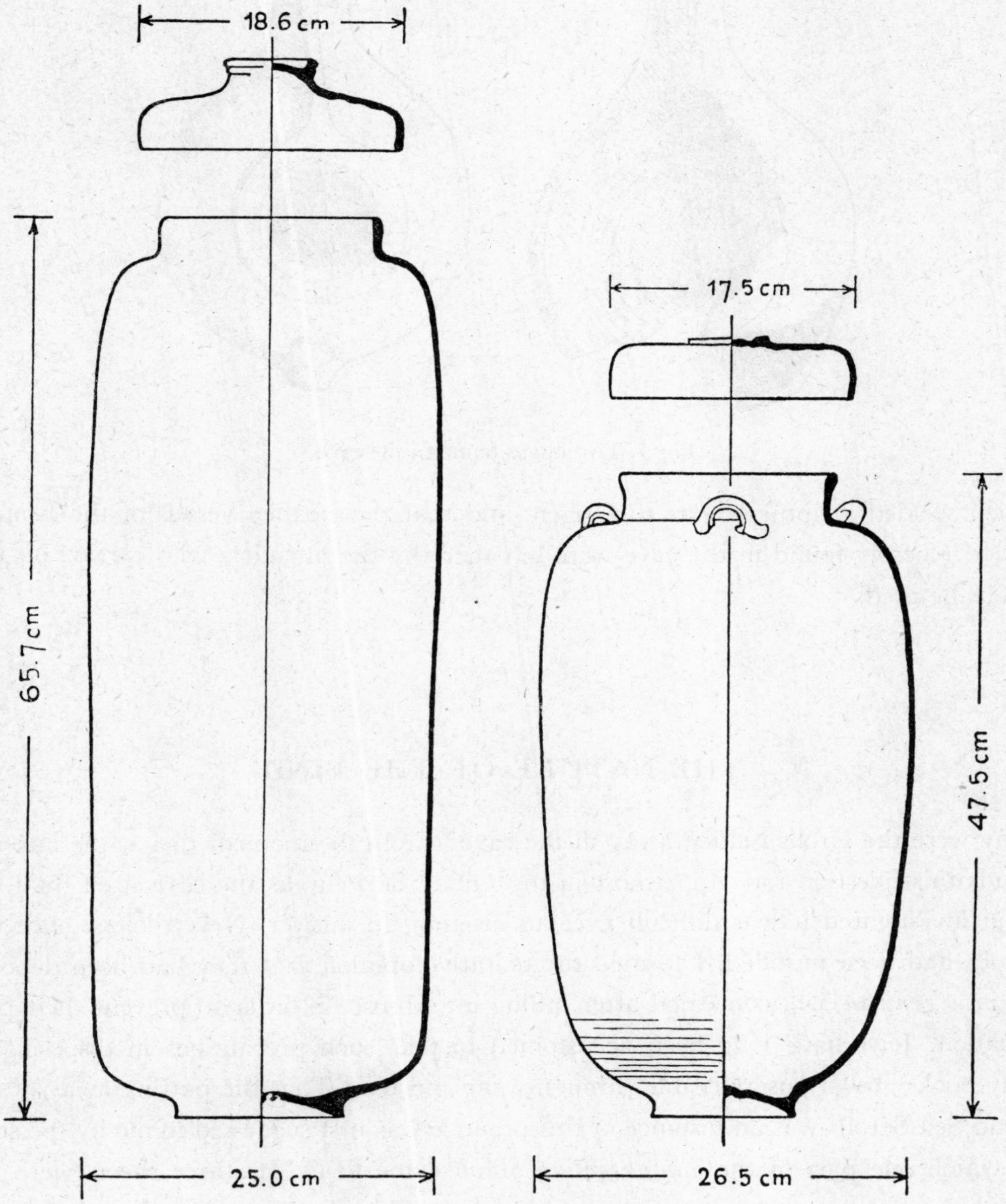

Fig. 6. Drawing to scale of the two jars

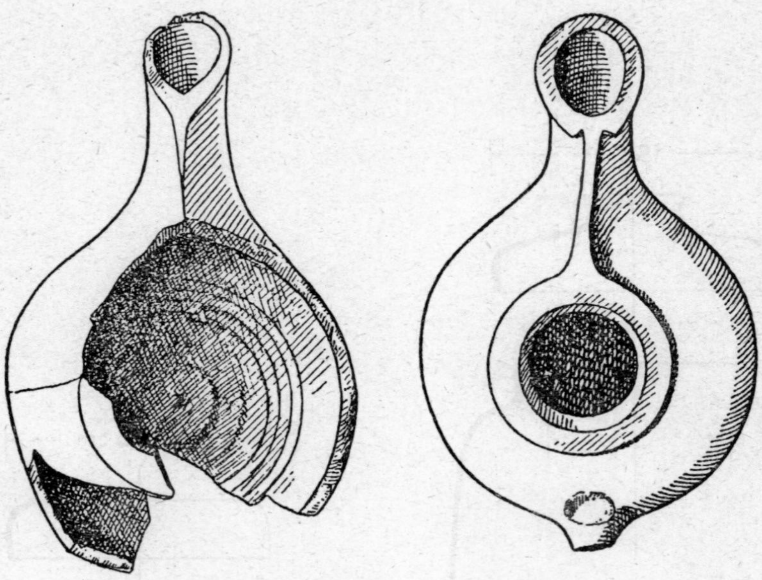

Fig. 7. Two lamps found in the cave

which yielded scriptural texts to Origen, and that the earthen vessels of the Roman period recently found in the cave were left there by the intruders who carried off the scrolls he used.

THE NATURE OF THE FIND

Why were the scrolls hidden away in the cave? From the moment they came into my hands this question ran uppermost in my mind. So long as the cave itself had not been investigated it was difficult even to attempt an answer. Nevertheless, once the scrolls had been unrolled, I formed the tentative opinion that they had been deposited in a *genizah*, i.e., concealed after falling into disuse, in order to prevent their profanation. Jews have long been accustomed to take such precautions in disposing of holy books grown unserviceable through wear and tear. That the putting away of the Dead Sea Scrolls was an instance of this practice was first suggested to me by the state in which one part of the *Thanksgiving Scroll* came to us. Its three sheets were not regularly rolled together, and one of them, significantly, was even shoved into the roll. From the condition of the material it was clear that the sheets had not been separated by the Beduin in pulling the scrolls out of the jars but, on the contrary, the scrolls must have been put away in this state in ancient times. My theory was soon further substantiated when another bundle of manuscripts turned out to be nothing more than a tightly packed mass of scraps and shreds of the same *Thanksgiving Scroll*. Accordingly, I expressed the view in my preliminary report that the cave near the Dead Sea had been used for a *genizah* (*Megilloth Genuzoth* I, p. 10).

Several scholars who have since dealt with the scrolls have questioned this view, putting forth the theory that instead of serving as a *genizah* of worn-out books, the cave was used to hide the scrolls away in a time of religious or political persecution. Professor Kahle, for instance, basing himself upon variant readings and spellings which distinguish the *Isaiah Scroll* (DSIa) from the Masoretic text, argues that the scroll was proscribed and hidden after the Masoretic text had been fixed. The very fact that the books were hidden with the utmost care for their preservation, wrapped in linen and inserted into earthenware jars, has been advanced as an argument against my position. Yet a third argument against me emerged when the excavations by Mr. Harding and Father de Vaux made it clear that the known extant scrolls constitute only a scantling of the many manuscripts originally secreted in the dozens of jars whose sherds littered the cave. One can hardly suppose, the argument runs, that so large a number of deteriorated books would have been accumulated for a single simultaneous *genizah*.

It is impossible, of course, to determine the condition of scrolls which were not only inserted into jars, but also removed from them in ancient times. I am of the opinion, however, that my theory is confirmed by the state in which the surviving scrolls were discovered, both those acquired by the Syrian Orthodox Metropolitan and those in the possession of the Hebrew University. I have already mentioned the *Thanksgiving Scroll*. From the detailed account of the state of the first *Isaiah Scroll* (DSIa) (see *BASOR* 111, p. 5),[6] it appears that part of this scroll was already spoiled and worn from over-use prior to its being hidden in the *genizah* cave. Furthermore, the main body of the scroll contains many corrections, erasures and retracings of obliterated letters. Other scrolls are torn in two. The *Isaiah Scroll* in our possession (DSIb) affords still more conclusive proof. Beyond question untouched by human hands from the day of its inurning to the present time, this scroll contains isolated fragments of various chapters, with the continuous text beginning only at Chapter XXXVIII. Moreover, the fact that this scroll conforms in both reading and spelling with the Masoretic text would seem to refute Kahle's above mentioned theory that the scrolls were concealed because they differed from the officially canonized text.

As to the meticulous care accorded the scrolls by those who hid them away, far from requiring any special explanation, such solicitude was explicitly required by

[6] [See also *The Dead Sea Scrolls of St. Mark's Monastery*, ed. Burrows, Vol. I, p. xiv.]

tradition. What Talmudic sages have to say about concealing books which have been disqualified for further use leaves no doubt on the matter. "Rabba said: A Torah scroll which is worn out is to be concealed at a scholar's, etc. R. Aha bar Ya'aqov said: And in an earthenware pot, as it is written (Jer. XXXII, 14): put them in an earthenware vessel, that they may last for long time" (*T. Babli*, *Meg.* 26b). Similarly, Maimonides observes that "A Torah which has become worn out or been declared unfit is to be put into an earthenware vessel and buried at a scholar's, and this is its *genizah*" (*Hilkhoth Sefer Torah*, X, 3). As a matter of fact, not just books but the very wrappers in which books were ensheathed, the *mitpahoth*, were most scrupulously cared for. We have already identified the pieces of fabric enveloping the scrolls as precisely such *mitpahoth* and noted that a degree of sanctity attached to them. What pious vigilance had to be exercised with them may be gauged from the fact that, like the Torah itself, they could be used for no profane purpose except the making of shrouds for a מת מצוה, the corpse of a person with no known relatives whose burial is obligatory on everybody (*T. Babli*, *Meg.* and Maimonides, *loc. cit.*).

If it should be confirmed that the religious sect whose books were found in the cave is identical with the sect which produced the "Damascus Covenant", we may be able to explain why so many dilapidated books were put away at one time. The mass *genizah* may have been performed just when this sect was about to set forth on its enforced exile to Damascus. At that juncture they may have assembled all books so worn out as not to be worth taking with them, and followed the usual Jewish custom for disposing of deteriorated sacred writings.

DESCRIPTION OF THE SCROLLS

ANIMAL skins were the principal material out of which scrolls were made in the ancient East. Even later, when the Greek and Roman world had come to regard skins as an inferior writing material, preferring papyrus, the Egyptian-grown sedge which replaced parchment, the Jews continued to do their writing on skins. Their persistence in this custom appears clearly enough in The Letter of Aristeas (vv. 176-177): "When they entered with the gifts which had been sent with them and the valuable parchments, on which the law was inscribed in gold in Jewish characters, for the parchment was wonderfully prepared and the connection between the pages had been so effected as to be invisible, the king as soon as he saw them began to ask them about the books. And when they had taken the rolls out of their coverings and unfolded the pages, the king stood still for a long time and then making obeisance about seven times, he said: 'I thank you, my friends, and I thank him that sent you still more, and most of all God, whose oracles these are'..." (R. H. Charles, *Apocrypha and Pseudepigrapha of the Old Testament,* Oxford, 1913, II, 110).

This is hardly the place for a comprehensive study of the many passages in the two *Talmuds* and the halachic and haggadic midrashim devoted to methods of copying out Holy Scripture and to the varieties of skin appropriate for such copying. But a detailed examination is not necessary to recognize that our scrolls constitute an outstanding and clear-cut illustration of what Talmudic sources say on the subject. They are the coarser kind of leather, which the Talmudic literature calls *Gevil,* as distinct from the finer *Qelaph* or true parchment. The writing is on the hair side of the skin, not the flesh side, conformably with the *Jerusalem Talmud's* formula, "when writing on *gevil,* the hair side is used" (*Meg.* 71d). Our scrolls clearly show that after the skins used in their making had been dressed, lines were ruled on every sheet. This too agrees with the same passage in the *Jerusalem Talmud,* which records "a Sinaitic tradition that [sacred books] are to be written in ink on skins ruled with a reed". As for the vertical lines which were traced in order to fix the margins between the columns of writing, this usage too is implied by several Talmudic passages, for instance, the statement in the *Babylonian Talmud* that "a five-letter word [at the end of a line] should not be written with two letters inside the column and three outside..." (*Menahoth* 30a).

Non-Jews were also in the habit of ruling their writing sheets, as is evidenced by the straight rows of script in old manuscripts. Though on most extant papyri time has obliterated these rules, traces of them can still be made out in the papyri found at Herculaneum. [7] The rows of script in our scrolls are written beneath the rules, as is still customary in preparing the Torah scrolls used in our synagogues. The sheets were sewn together with fine tendons, remnants of which are still visible in the seams.

As is usual in ancient books, the scrolls do not indicate breaks between sentences in any way. They do, however, employ several paragraphing devices in order to mark off *parshiyoth* or sectional divisions. When a division ends at the beginning or in the middle of a line, the succeeding division may start on the next line, either flush with the margin or indented to the middle. When a division ends with a full line, the succeeding division may be indented to the middle of the line immediately following, or it may be separated from its predecessor by the intervention of a completely blank line.

Surveying the various arts, Ben Sira observes that "the scribe's knowledge increases knowledge". The men who wrote our scrolls were learned scribes of this kind. Not only did they write a beautiful hand, they were also undoubtedly men of learning. Wattenbach declares that ancient MSS are full of mistakes, particularly those notable for their calligraphy. Not so our scrolls, which have but few errors, and those detected and put right by the scribes themselves.

One system of correction which they employed was to mark their errors with two dots, one above and one below each offending letter. The Masoretic text of the Hebrew Bible, as is well known, contains words similarly marked with *puncta extraordinaria,* with the difference that only supralinear points are used. Though these points do not necessarily single out discernibly spurious words, the Talmudic literature clearly confirms the use of such marks to indicate scribal errors. Thus *Aboth de R. Nathan*: [8] "There are ten passages in the Torah marked with dots... The dots placed above these letters can be explained only in the light of what Ezra [the scribe] said, viz., 'If Elijah comes and asks, "Why have you written down these words?" I will point out that even as I did so, I placed dots above them; but if he says, "You have done well to write as you did", I will just remove the dots above them' ". In exactly the same way *Midrash Rabba* to Numbers explains the point above the word *vaAharon* ("and Aaron") in Num. III, 39 (The word, it will be recalled, does not appear exceptionable in the context, which reads: "All that were numbered of the Levites, which Moses *and Aaron* numbered at the commandment of the *Lord,* throughout their families, all the males from a month old and upward, were twenty and two thousand"). The *Midrash* comments: "The diacritical marks above *vaAharon* can be explained only in the light of what Ezra said, viz., 'If Elijah comes and asks "Why

[7] W. Wattenbach, *Das Schriftwesen im Mittelalter,* Leipzig, 1896.
[8] Published by S. Z. Schechter, Vienna, (1887), pp. 97 *et seq.*

have you written down these words?" I shall point out that even as I did so, I placed dots above them. But if he tells me "You did well to write them", I will just erase the dots above them'."

SIGNIFICANCE OF THE DISCOVERY

As several books in the Bible attest, even during the period of the Second Temple, our people did not cease from literary creation in Hebrew. Unfortunately, only a tiny modicum of that literary production survives in the original. The apocryphal writings have come down almost entirely in Greek and other foreign language translations, and even the canonical books in the Bible have been preserved as finally edited by the Masoretic authorities. The find in the Judaean wilderness thus helps to fill gaps in our knowledge of the development both of the Hebrew language and of Hebrew literature. Important to Hebrew philology are the variant spellings of several words in the scrolls, e.g. כיא, מיא, היאה, הואה, נואם, גואים, שלהובת, להוב. Incidentally, in addition to its intrinsic value, this distinctive orthography, which in the main appears nowhere else in our literature, provides additional proof of the antiquity of the scrolls. The literary value of the find is yet more impressive. Except for the versions of Isaiah, the other scrolls are books hitherto unknown, either in the original or in any translation whatsoever. These books open a new door to knowledge of the spiritual life of our people in the last few centuries before the destruction of the Second Temple. One of the scrolls is a sort of midrash on Habbakuk. In my book on the synagogue paintings at Dura Europos (ציורי בית הכנסת בדורא־אברופוס) I discussed the antiquity of the Haggadah. The new find offers additional proof of the antiquity of midrashic literature generally.

In the field of Biblical studies proper, the find is also of incalculable value. Hitherto, the oldest known Biblical MS was the Nash papyrus (Fig. 8), first published in 1903 by Stanley Cook, [9] and since dealt with by various scholars, most recently by W. F. Albright, N. H. Tur-Sinai (Torczyner) and M. Z. Segal. [10] This papyrus, which survives in rather

[9] S. A. Cook, "A Pre-Masoretic Biblical Papyrus", *Proceedings of Archeology* xxv (1903), 34 et seq.

[10] W. F. Albright, "A Biblical Fragment from the Maccabean Age: The Nash Papyrus", *Journal of Biblical Literature*, LVI (1937), 146 et seq. [See also *BASOR* 115, pp. 10 et seq]. N. H. Torczyner „מנצפ"ך צופים אמרום", *Halashon vehasefer*, Vol. I, pp. 12 et seq. M. Z. Segal, "Hagome shel Nash" [The Nash Papyrus], *Leshonenu*, xv (1947), 27 et seq. Incidentally, I do not agree with the scholars in their reading of some of the words in this papyrus. They read the second word in line 16 as ויקדשיו, which is an odd linguistic form. I believe that the word originally read ויקדשהו, but the

fragmentary state, contains the Decalogue followed by the "Shema". The occurrence of these two passages in sequence in a single column proves that the papyrus does not contain a part of the Bible itself but rather two Biblical passages deliberately conjoined for a specific purpose, possibly, as Professor Segal has suggested, for recitation in the Morning Prayer. Opinion is divided on the date of the document. Albright and Segal believe that it goes back to the early second century B.C.E., while Stanley Cook dates it in the second century C.E. Its orthography, which is much closer than that of the scrolls to the spelling of the Masoretic text, as well as other considerations, inclines me to believe that it does not go back beyond the first century C.E. Although the letters are generally similar to those in the scrolls, some differ slightly in form. Here, too, with one exception, medial and final מנצפ"ך are distinguished. But however the question of date may be ultimately decided, there can be no question that in scope and content the scrolls open new vistas in Biblical scholarship. The *Isaiah* scrolls are of outstanding importance, offering as they do versions of a great Book of the Bible prior to the Masoretic redaction of the text. In them Biblical scholars have acquired an ancient source which can help immeasurably in clarifying the often problematic connection between the Masoretic text and the Greek translations. Biblical verses are also interspersed in a number of other scrolls. For instance, the scroll of the *The War of the Sons of Light with the Sons of Darkness,* column 11, includes several verses from the vision of Balaam ben Beor as well as other Biblical passages.

The script of the scrolls is also highly instructive. It is the same as that inscribed on the ossuaries which have been turning up, chiefly in the Jerusalem area, for the past 100 years. Usually these inscriptions are very brief, giving nothing but the names of the people whose bones were deposited in the ossuary. A few, however, are longer. The most important inscription antedating the destruction of the Second Temple is that of Uzziyahu, King of Judah, which I discovered in 1931 in the Russian monastery on the Mount of Olives. [11] Cut into the stone tablet that marked the spot to which Uzziah's bones had been brought is the following inscription in Aramaic (see Fig. 9):

1. Hither were brought	לכה התית
2. The bones of Uzziah	טמי עוזיה
3. King of Judah	מלך יהודה
4. And not to be opened	ולא למפתח

right leg of the letter *he* flaked off, leaving only the left leg. In line 20 I would read ו[לא תתאוה את ב[י]ת רעך following the version in *Deuteronomy* V, 18 : the third letter in the word is not *mem* but the remnant of a ligated *aleph*, as found in this scribe's writing in other letters as well. I intend to treat this matter more fully in another place.

[11] E. L. Sukenik, "Funerary Tablet of Uzziah, King of Judah", PEFQS, 1931, pp. 217-221.

י]הוה אלהיך אשר [הוצא]תיך מא(ר)ץ מצ[רים
ל]ך אלהים אחרים [על פ]ני לוא תעשה [
] אשר בשמים ממעל ואשר בארץ [
במי]ם מתחת לארץ לוא תשתחוה להם [
] אנכי יהוה אלהיך אל קנוא פק[ד
בני]ם על שלשים ועל רבעים לשנאי [
] לאהבי ולשמרי מצותי לוא ת[שא]
א]להיך לשוא כי לוא ינקה יהוה [
ש]מה לשוא זכור את יום השבת ל[קדשו]
ימי]ם תעבוד ועשית כל מלאכתך וביום [
] אלהיך לוא תעשה בה כל מלאכה [
] עבדך ואמתך שורך וחמרך וכל ב[המתך
] בשעריך כי ששת ימים עשה י]הוה
השמי]ם ואת הארץ את הים ואת כל א]שר
] השביעי על כן ברך יהוה את [
השביעי ויקדשהו כבד את אביך ואת אמ[ך
ייטב לך ולמען יאריכון ימיך על האדמה [
יהוה אלהיך נתן לך לוא תנאף לוא תרצח לו[א]
תג[נב] לוא ת[ע]נה ברעך עד שוא לוא תחמוד [
] לוא תתאוה את ב[י]ת רעך שד[הו
וש]ורו וחמרו וכל אשר לרעך
החק]ים והמשפטים אשר צוה משה את [
] במדבר בצאתם מארץ מצרים שמ]ע
[ישרא]ל יהוה אלהינו יהוה אחד הוא וא[הבת
א]ל[היך בכ]ל ל[בבך

Fig. 8. Nash Papyrus

Fig. 9. Uzziah Inscription

The script on this funerary tablet resembles that of the scrolls not only generally but in the use of ligatures. Indeed, such tying together of letters is one of the distinctive chirographic features of the scrolls. In the *War of the Sons of Light with the Sons of Darkness,* I found more than a hundred ligatures, among them some of four letters. These ligatures are quite important for the scholarly investigation of the Biblical text, since they gave rise to most of the mistakes made by early copyists.

We must, of course, await more thorough study to discover to whom the *genizah* cave belonged. Nonetheless, there is one point that seems very suggestive to me. On examining the scrolls owned by the Syrian Orthodox Metropolitan, I found one of them to contain a manual of discipline for a community or sect. [12] I am inclined to believe that the *genizah* was instituted by the sect of Essenes who, as several ancient literary sources tell us, had their seat on the western side of the Dead Sea, in the neighbourhood of 'Ein Gedi.

[12] [This scroll has since been published in *Dead Sea Scrolls of St. Mark's Monastery,* Vol. II, ed. Burrows, *Manual of Discipline.*]

THE SECOND SCROLL OF ISAIAH (DSIb)

I learned that one of our manuscripts was a second copy of *Isaiah* after my return from the United States in the summer of 1949. The scroll was exceedingly difficult to unroll, for the columns were almost inextricably stuck together. We decided therefore to deal first with the other manuscripts, so that the specialist engaged in the unrolling might improve his skill.

After disposing of the other manuscripts, we finally attended to this one, only to be confronted with a new difficulty. We found the surface of the scroll heavily smeared with a dark thick matter, presumably produced by the decomposition of the leather. In consequence many parts of the columns had grown so dark that only with great difficulty was it possible to make out traces of writing. Fortunately the scroll was legible in infra-red photographs, from which the present edition has been prepared.

This second *Isaiah* scroll has suffered particularly from the ravages of time. Only the upper part of the last third and a few fragments from the middle of the book have been preserved. The first of these fragments, following the sequence of the Masoretic text, is from Chapter X, but only in Chapter XXXVIII do a number of fragments fit together to form several lines of writing. From this point on larger fragments appear which form a continuous strip of mutilated columns, and the quantity of preserved writing increases (see Figs. 18, 19). The only sheet in this scroll that has not disintegrated is the penultimate, which consists of four columns each one with an average of 34 lines (Fig. 20). About fourteen lines are missing on the bottom of this sheet, which contained the words of the prophet from Chapter LII to Chapter LXI inclusive. Of the last sheet (Fig. 21), which contained two columns, a fairly considerable amount of writing remains, but the sheet itself has disintegrated into numerous small fragments, and the writing is rather worn and difficult to read.

The scroll is quite close to the Masoretic text of the Book of Isaiah both in its readings and in its spellings. The latter are not in the plene form usually found in these scrolls, including DSIa, but in the mixed plene and defective form customary in the Bible. This orthography also occurs in several minor Biblical fragments found in the cave, e. g., the fragments of Leviticus written in archaic Hebrew script (see *Revue Biblique* LVI (1949), Pl. XVIII; *Megilloth Genuzoth* II, p. 54) and in several additions to the *Isaiah Scroll* (DSIa), supplied by a different scribe (Col. XXVIII, lines 19-20 in Burrows' edition).

The conclusion to be drawn, I believe, is that as early as the period of the Second Temple, it had become customary to facilitate reading through extensive use of the plene spelling, not only in books composed at the time but also in the ancient books of the Bible. Nevertheless, some Biblical texts continued to be copied in the largely defective spelling traditional for generations, and when our sages came to determine the official spelling for the Bible, they chose the earlier one. In the two copies of *Isaiah* found in the *genizah* of the Judaean wilderness, one perpetuates the early spelling (DSIb published here), and the other provides a contemporary phonetic spelling (DSIa published by Burrows). If, for instance, both our Masoretic text and DSIb exhibit such spellings as אתם, לכם, הוא, כי, מי, etc., this does not mean that these words were pronounced without a final vowel, but rather that their then current pronunciation is indicated in the new plene spellings אתמה, לכמה, הואה, היאה, כיא, מיא, etc.

Whereas the complete *Isaiah Scroll* (DSIa) differs from the Masoretic text at many points, the scroll published in this volume (DSIb) presents relatively few such textual variants. Slight changes having to do with defective and plene spelling are more frequent, though in this matter no absolute uniformity obtains even in the Masoretic manuscripts. To illustrate the more significant variants, we include a table of selected readings which collates the text of the scroll printed below (DSIb) with the Masoretic text and notes also the corresponding text of DSIa.[13] Variants in DSIb which correspond to Septuagint readings are marked by an asterisk.

TEXTUAL VARIANTS OF DSIb

Chapter	Verse	DSIb	MT	DSIa
XIII	19	ממלכתו	ממלכות	ממלכת
XXVI	1	[ ]שר השירה הזאת	יושר השיר הזה	ישיר השיר הזואת
	2	ויבאו	ויבא	ויבוא
XXVIII	15	כי עבר	כי עבר כתיב כי יעבר קרי	כי יבור
XXX	13	לפתח	לפתע	לפתע
XXXVIII	14	חשקה	עשקה	עושקה
	19	היום כמוני	כמוני היום	כמוני היום

[13][A full account of the textual variants in DSIb is given by S. Loewinger, in *Vetus Testamentum*, IV (1954), 155 et seq.]

Chapter	Verse	DSIb	MT	DSIa
XXXVIII	19	יודע אלה אמתך	יודיע אל אמתך	יודיע אל אמתכה
XLI	7	*ו[ל]א י[מ]וט	לא ימוט	לוא ימוט
	11	ויבשו	ויאבדו	יובדו
	19	ותשור	ותאשור	ותאשור
XLIII	4	ואתנה אדם	ואתן אדם	אתן ^{ה}אדם
	6	[ב]ניך	בני	בני
		ובנתיך	ובנותי	ובנותי
	8	אוציא	הוציא	הוציאו
XLV	2	והרורים	והדורים	והררים
XLVI	6	וישכרו	ישכרו	ישכורו
		*ויסגד[ו]	יסגדו	ויסגודו
XLVII	7	זכרתי	זכרת	זכרתי
	8	בלבה	בלבבה	בלבבה
XLVIII	17	מדרכיך	מדריכך	הדריכה
	18	ולא	לוא	ולוא
XLIX	3	הת[פאר]	אתפאר	אתפאר
	6	הנקל	נקל	נקל
	7	כה אמר אדני יהוה	כה אמר יהוה	כוה אמר אדני יהוה
		יקומו	וקמו	וקמו
L	11	*ומאזרי	מאזרי	מאזרי
LI	1	הביטו ע[ל] צור... [ו]על	אל... ואל	אל... ואל
	7	וממגדפתם	ומגדפתם	ו^{מ}מגדפותם
LII	11	omittit	צאו מתוכה	צאו מתוכה
	14	ותרו	ותארו	ותוארו
LIII	3	מכאבים	מכאבות	מכאובות
		ממנו ונבזה	ממנו נבזה	ממנו ונבוזהו
	7	לטבוח	לטבח	לטבוח
	8	לקחו	לקח	לוקח
	11	* יראה אור יש[בע]	יראה ישבע	יראה אור וישבע
LIV	4	אלמנתך	אלמנותיך	אלמנותיך
LV	5	וקדוש	ולקדוש	ו^{ל}קדוש
	8	[מחשבותי]כם מחשבתי	מחשבותי מחשבותיכם	מחשבותי מחשבותיכם
	11	והצליח את אשר שלחתי	והצליח אשר שלחתיו	והצליח את אשר שלחתיו
	12	תצאון	תצאו	תצאו
		ימחיו	ימחאו	ימחוא

Chapter Verse	DSIb	MT	DSIa
LV 13	ר * ותחת הספד	תחת הסרפד כתיב ותחת הסרפד קרי	ותחת הסרפוד
LVI 3	הנלוה על	הנלוה אל	הנלוא אל
12	אקח	אקחה	ונקח
LVII 2	[יבוא]ו	יבוא	ויבוא
18	ואשלמה	ואשלם	ואשלם
LVIII 1	* ואל תחשך	אל תחשך	אל תחשוך
2	* אתי	ואותי	אותי
3	* נפשתינו	נפשנו ס״א נפשינו	נפשותינו
4	להכות	ולהכות	ולהכות
	ולא תצומו	לא תצומו ס״א ולא תצומו	לוא תצומו
5	* ויום ענות	יום ענות	יום ענות
	* ראשך	ראשו	רואשו
	יום רצון	ויום רצון	יום רצון
6	*שלח	ושלח	ושלח
7	עניים	ועניים	ועניים
11	יחלצו	יחליץ	יחליצו
12	משיב	משובב	משובב
14	* והרכיבך	והרכבתיך	והרכיבכה
LIX 4	* בטחו	בטוח	בטחו
	* דברו	ודבר	ודבר
	* והולידו	והוליד	והולידו
21	* [י]מ[ו]ש	ימושו	ימושו
LX 2	והערפל	וערפל	וערפל
4	תנשינה	תאמנה	תאמנה
5	אליך	עליך	אליך
	יבוא	יבאו	יבואו
8	על ארבתיהם	אל ארבתיהם	אל ארבותיהמה
13	בראש	ברוש	ברוש
18	בגבולך	בגבוליך	בגבוליך
19-20	omittit	ואלהיך לתפארתך... ...לאור עולם	habet
21	ארץ מטעיו	ארץ נצר מטעו כתיב מטעי קרי	ארץ נצר מטעי יהוה
	ידיו	ידי	ידיו

Chapter	Verse	DSIb	MT	DSIa
LXII	6	[וכל הלי]לה לא יחשו	וכל הלילה תמיד לא יחשו	וכול הלילה לוא יחשו
	7	דמי לכם	דמי לו	דמי לו
		ע[ ]ם	עד יכונן ועד ישים	עד יכין ועד יכונן ועד ישים
	8	[בימ]ין עזו	בימינו ובזרוע עזו	בימינו ובזרוע עוזו
LXIII	3	גאלתי	אגאלתי	גאלתי
	5	ואביטה ואין איש	ואביט ואין עזר	ואביט ואין עוזר
	6	[וא]בוסה	ואבוס	ואבוסה
		וארידה	ואוריד	ואורידה
LXV	23	הם	המה	המה
	24	המה	הם	המה
LXVI	2	ונכאה	ונכה	ונכאי
	4	[ו]במגרתם	ומגורתם	ובמגורותיהמה
	17	[אחר אח]ת	אחר אחד כתיב אחת קרי	אחר אחת

THE WAR OF THE SONS OF LIGHT WITH THE SONS OF DARKNESS

OF the three scrolls in the possession of the Hebrew University, *The War of the Sons of Light with the Sons of Darkness* is relatively the best preserved. Made of fine, buff coloured leather, the scroll is, in its present state, 2.9 metres long, and 16 cm. wide. A 5 cm. margin - wider than usual - to the right of the first column indicates that the beginning of the scroll has been preserved. In addition, a blank strip of leather, 35.5 cm. long, has survived; it was apparently attached to the beginning of the scroll and used to cover it. The written portion of the scroll occupies eighteen columns written on four sheets (Fig. 26), and the remnant of one column from a fifth sheet, or a total of nineteen columns. The upper part of the scroll has been preserved almost in its entirety, in contrast to the lower part, which is worn away and mutilated.

The upper margin is about 3 cm., the margins between the columns are about 2 cm. Every column contains from 16 to 18 lines, 10.5 to 16 cm. long, "hung" from (i. e., written below) ruled lines. There is reason to suppose that only a few lines, three or four, are missing from the lower part. But there is no way of knowing how much is missing from the original length of the scroll.

Most of the lacunae caused by decomposition penetrating into the body of the scroll occur in the second half of the manuscript. In some cases these lacunae cut vertically right through the columns, but it has been possible, on the basis of their contents, to fit the broken columns together. There were also found a few small detached fragments, which had broken off the body of the scroll, photographs of which are reproduced in Plate 47. Only after a part of the plates had been printed did it become clear that some of these fragments fit in to column 15 and column 19 (Plates 30 and 34). They have therefore been added to the transcription at the proper places, with appropriate marginal notes. The part of column 15 (Plate 30) reconstructed in this way is shown in a new photograph (Fig. 27).

The scroll was copied by an expert scribe writing a beautiful and accurate hand. He distinguished clearly between every letter of the alphabet, except *yodh* and *waw*, which are throughout interchangeable. Without exception he distinguished between medial and final letters. The few errors into which he fell he corrected methodically, inserting omitted letters above the ruled lines, and erasing or dotting letters or words which he wished to cancel. In one place where the writing grew blurred, three words were rewritten above the ruled line, apparently by a reader (column 3, Plate 18, l. 1).

Neither the name of the composition nor the name of its author is mentioned in the scroll. It is just possible that the author was named at the end, as is the case in the *Book of Ben Sirah.* The title I have assigned is taken from the first line of the first column, in which the adversaries are called the "sons of light" and the "sons of darkness".

The scroll offers no clear indication of its date of composition. For various reasons, which cannot here be dwelt upon at length, I incline to link the work with the pre-Hasmonaean period, [14] without as yet proposing a more precise date. [15] The manuscript in our possession was copied, I believe, before the destruction of the Second Temple.

The scroll contains a description of the war which is to break out between the "sons of light" and the "sons of darkness", "when the exiled sons of light return to encamp in the wilderness of Jerusalem". This war will take place between "the sons of Levi and the sons of Benjamin and the sons of Judah" and the rest of the tribes of Israel, assisted by the forces of light and righteousness on the one hand, and on the other, the enemies of Israel, at the head of which stands the people called the "Kittim", assisted by Belial and the forces of darkness and wickedness. Three times the "sons of light" will prevail and three times the "sons of darkness", and at last the "sons of light" will win the victory, by virtue of the intervention of "the great hand of God" in "the seventh [turn of] fortune". After a brief introduction which speaks with prophetic ecstasy about the substance of the war that is to break out and sets forth the above mentioned particulars (column 1), there follows a detailed time-table of the years of the war against the various enemies, a schedule for personnel charged with ensuring continuous service in the Temple, and a description of the army's trumpets, ensigns with their inscriptions, armament, battle order, and tactics, and of the battles in which it is to engage. Considerable space (cols. 10-15, 17-19) is also allotted to an account of the prayers and thanksgiving texts uttered by the Sons of Light on various occasions, and of words of encouragement addressed to them before battles.

[14] The *terminus post quem* for this scroll is, I believe, provided by the appellatives "Kittim of Assyria" and "the Kittim in Egypt", mentioned in column 1. These are, in my opinion, appellations of the Ptolemies in Egypt and the Seleucids in Syria, which would mean that this scroll was composed after the partition of Alexander's empire among the Diadochi. On the other hand, the appellative כוהן הראוש (Head Priest), repeated several times in the scroll, provides the terminus *ante quem*: it shows the scroll to be not later than Hasmonaean days, since we find the title הכוהן הגדול (Great Priest) on the coins of the Nesiim of the Hasmonaean dynasty.

[15] [Prof. E. L. Sukenik did not have time to consolidate his view and to adduce further supporting evidence. His view has been shared by many scholars, though others have disagreed. The reader will find the question fully treated in the annotated edition of this scroll prepared by Maj.-Gen. Yigal Yadin, shortly to be published.]

THE THANKSGIVING SCROLL

THE *Thanksgiving Scroll* is in two separate parts. The part which was opened first contains three sheets, each one with four columns, or a total of twelve columns. The sheets were not found regularly rolled up into one another, as was the case with the *Sons of Light* scroll. Instead, two disconnected sheets were casually rolled together, and into the folds of this roll a third sheet had been forced. Nonetheless there are clear indications that these sheets were for a long time part of a single connected roll, as will be explained below. The second part of the *Thanksgiving Scroll* was, by the time it reached our hands, a crumpled mass of about seventy detached fragments of leather of assorted sizes (see Figs. 14, 15).

The colour of the leather on which the *Thanksgiving Scroll* was written, where it is well preserved, is of a much darker brown than that of the leather of the *Sons of Light* scroll. Many places have grown black owing to the ravages of time. Further, large parts were found to be completely rotted away or covered with a thin layer of matter apparently produced by the decomposition of the leather. Consequently extensive sections of the scroll cannot be deciphered in the normal way and are legible only in infra-red photographs. In the following plates the entire scroll is reproduced in photographs of this type.

The columns of this scroll are much larger than those of *The War of the Sons of Light with the Sons of Darkness*; they are as much as 32 cm. high. Since the top of the scroll has not survived, and only a small part of the bottom remains in a few columns, it is difficult to determine the number of lines originally found in every column. The number of lines surviving varies from 35 to 41. That the three sheets retain their original length is indicated by the seams along their edges.

Two scribes were employed in copying the scroll. One was an expert and accurate calligrapher, though inferior to the copyist of the *Sons of Light*. On four occasions he wrote אל or אלי in an archaic Hebrew script, [16] though everywhere else he wrote these words in his usual square characters. The second scribe wrote a crude and careless hand and was negligent in separating words. He employed the *ṣade* with a bent shaft in the final as well as the medial position. The second scribe began to write in line 22 of column 11, placing his first words above the halfline written by the first

[16] [Col. 1, line 26 ; col. 2, line 34 ; col. 15, line 23 ; and also in the fragment found in the cave during the excavations, reproduced in Fig. 30.]

scribe. His hand continues to the end of the last column on the complete sheets and is to be found in about half of the fragments.

The two scribes corrected their frequent mistakes in copying, usually following the procedure adopted in the scroll of the *War of the Sons of Light with the Sons of Darkness,* though occasionally they also retraced letters over their erasures. Several corrections appear to have been written by a third hand, and a few errors were not corrected at all (e. g. סבבום instead of סבבוני, col. 2, l. 25).

The point at which the second scribe took over from the first helps to establish the original order of the columns. Obviously, all the columns written in the first scribes's hand preceded the changeover, and the two columns written by the second scribe are therefore the last of the twelve columns. An additional clue to the proper order of the columns is provided by the large holes in the middle of most of the columns. These holes resemble one another in general shape, but differ in size. The largest is in the last column on the three complete sheets, written in the hand of the second scribe. The column immediately to the right of this one has a slighly smaller hole, and the holes become progressively smaller, going from left to right across the three sheets. These holes[17] were caused by the decomposition which began on the outside of the rolled scroll and penetrated inward through layer after layer. This indicates that the scroll was rolled for a long period of time in a certain order. In the present edition the columns of the three sheets are printed in this order, numbered from one to twelve (see Figs. 22-24).

The surviving fragments of the scroll are printed immediately after the complete sheets. As has been observed, fragments have been found written in the hands of both scribes. If we assume that only one change of scribes occurred, we must conclude that in the original scroll the fragments written by the first scribe preceded the point of change. Since this point occurs in the continuous section made up by the three sheets, the fragments written by the first scribe must have preceded the three sheets, and they therefore constitute what remains of the beginning of the scroll. Contrariwise, the fragments written in the hand of the second scribe are what survives of the end of the scroll.

Three large fragments written in the first hand fit together to form a section of a sheet which is three columns wide and about twenty lines high (see Fig. 25). In this part of the sheet there are no seams. Further, two additional large fragments were found, resembling the three mentioned above both in shape and in physical appearance. In one of

[17] [The scroll has also been eaten away in other places : the lacunae in col. 1, for instance, are not part of the pattern of holes described above.]

them, traces of seams are visible on the right side, in the other on the left. We have therefore supposed that these are the end columns of the same sheet, one on the left side, the other on the right. The five fragmentary columns of this reconstructed sheet are reproduced below as columns 13-17. Column 18 is composed of three fragments in the second hand. The other large and medium fragments in this hand do not deserve the name of columns. Arranged according to size, they are labelled Fragments 1-9 and reproduced on Plates 53-55. The small and minute fragments are reproduced on Plates 56-58. Numbered from 10 to 66, they are divided according to their handwriting into two groups, and are arranged in each group according to size.

Unfortunately, only a small number of the fragments fit into larger sections. Perhaps many fragments needed for a complete restoration are missing because they fell off the rolls and got mixed up in the thousands of tiny and illegible shreds and scraps found in the *genizah* cave in the course of the excavation carried out by Mr. Harding and Father de Vaux (see above, p. 18). This possibility is suggested by the two fragments of the *Thanksgiving Scroll* discovered during the excavation and identified by the excavators, which were published in *The Illustrated London News* for October 1, 1949, p. 494. The writing in these fragments is too slight to be of intrinsic interest. A photograph and transcription of the larger one are provided in Fig. 30.

The *Thanksgiving Scroll* is a collection of songs expressing the views and feelings of one of the members of the sect whose writings were discovered in the Dead Sea *genizah*. Imitating the style of the Psalms, the songs express thanks for the acts of kindness God has performed for their author. Since the great majority begin with the phrase "I thank thee, God", אודך אדוני, I have called the entire group the *Thanksgiving Scroll* (מגילת ההודיות). About thirty-five whole and fragmentary chapters of Thanksgiving hymns have survived.

Most of the hymns strike a distinctive personal note. Of particular interest from this viewpoint is the long chapter in column 4 in which the author refers to himself as a man who hoped for special revelations from the godhead and who, despite his opponents, had many followers flocking to him to listen to his teaching. A possible inference is that the author was the Teacher of Righteousness often mentioned in these scrolls as well as in the "Zadokite Document" of the Damascus Covenanters. His complaint over being compelled to leave his country - "he thrusts me out of my land like a bird from its nest" (col 4, l. 9) - corresponds to the statement in the *Habbakuk Commentary* that the "Wicked Priest" forced the Righteous Teacher into exile from the country (col. 11, l. 6).

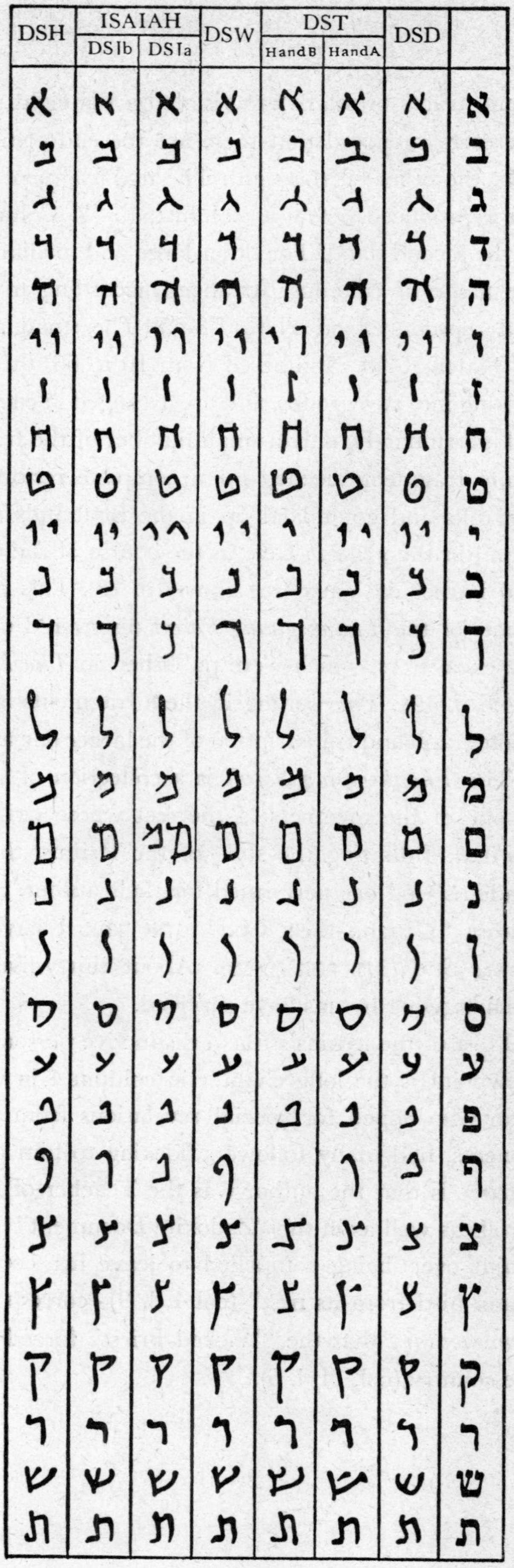

ALPHABETS OF THE SCROLLS

This table of alphabetic forms in the Dead Sea Scrolls is not intended to minimize the considerable variations in the script. Only the most typical forms have been selected from each scroll, and ligatures have been ignored although they are of considerable importance in the development of this script.

The sequence of the alphabets is not intended to suggest any chronological order. Whoever examines a tabular conspectus of the alphabets used in the scrolls, bearing in mind that the scrolls were written by different scribes, will observe that they are not widely separated in time. A striking common denominator of the script in the scrolls is the consistent differentiation between the two forms of מנצפך, except for the second scribe of the *Thanksgiving* Scroll who does not use final *ṣade,* and for the script of the *Manual of Discipline* and DSIa, in which special final forms for *mem* and *nun* occur, but not for *kaph, pe* and *ṣade.* The latter two scrolls are also distinctive in their use of a special form of *samekh.* There is reason to suppose that they were written at an earlier date than the others. It is also noteworthy that although all the scrolls were undoubtedly written by expert scribes, *The War of the Sons of Light with the Sons of Darkness* and *Isaiah* (DSIb) are outstanding for their calligraphy.

Abbreviations

DSD = Manual of Discipline
DST = Thanksgiving Scroll
DSW = War Scroll
DSIa = First Isaiah-Scroll
DSIb = Second Isaiah-Scroll
DSH = Habakuk Commentary

Fig. 10. The Second Isaiah-Scroll (DSIb) before unrolling

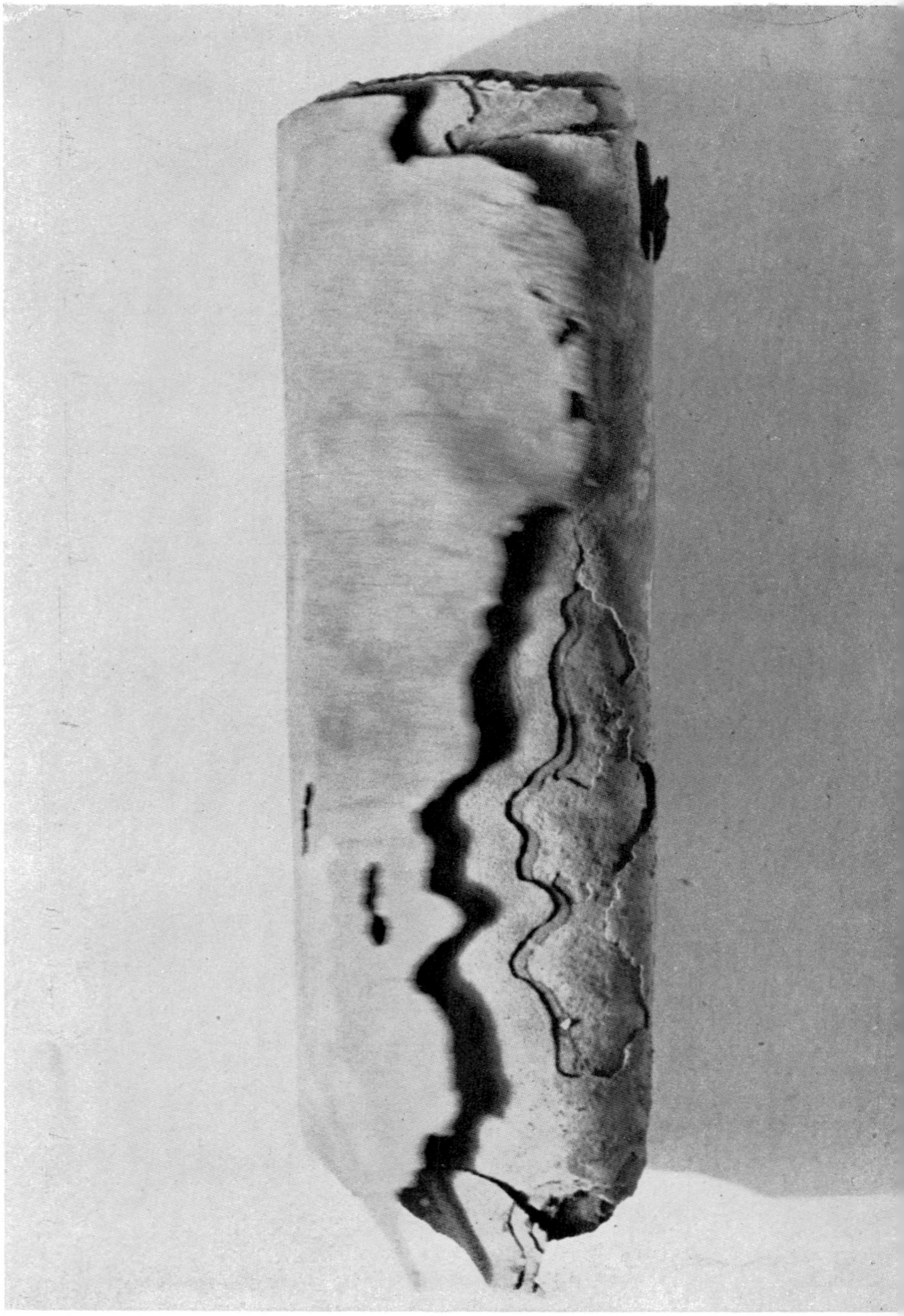

Figs. 11-12. The Scroll of the War of the Sons of Light with the Sons of Darkne
before unrolling

Fig. 13. The same scroll in early stage of unrolling

Fig. 14. The Thanksgiving Scroll (fragments) before unrolling

Fig. 15. The Thanksgiving Scroll (fragments) in early stage of unrolling

Fig. 16. First sheet of Thanksgiving Scroll partially unrolled

Fig. 17. Second sheet of Thanksgiving Scroll partially unrolled

Figs. 18-19. Second Isaiah-Scroll, first and second sheets

Figs. 20-21. Second Isaiah-Scroll, third and fourth sheets

Figs. 22-23. Thanksgiving Scroll, first and second sheets

Figs. 24-25. Thanksgiving Scroll, third and fourth sheets

Fig. 26. The Scroll of the War of the Sons of Light with the Sons of Darkness, unrolled

Fig. 27. Column 15 of the War Scroll, restored section (see Plate 30)

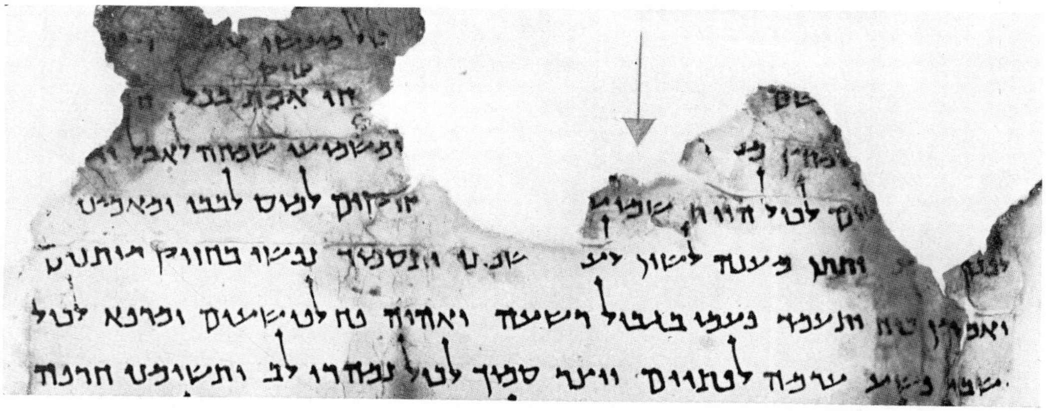

Fig. 28. Top of column 2 of the Thanksgiving Scroll, restored (see Plate 36)

Fig. 29. Bottom of column 3 of Thanksgiving Scroll, restored (see Plate 37)

]־ע־]

]ה בהשפטכה

]לפני

]הם

] אל

]יכה הגדולים

]ו ו[ ]ר נעלמים לוא

]ורותי בא[ ]־

]־ ־ורי בדמים ־[

] לבכה ולשמ[

Fig. 30. A fragment of the Thanksgiving Scroll found in the cave during excavations

TRANSCRIPTION

THE TRANSCRIPTION

The purpose of the transcription is to facilitate the reading of the plates. We have therefore transcribed the plates letter for letter. Our adherence to this principle explains why, in transcribing the *War of the Sons of Light with the Sons of Darkness* and the *Thanksgiving Scroll,* of which no versions other than those in the scrolls exist, we have abstained from restoring the lacunae except where the reading of defective words is in no doubt. The lacunae have been enclosed in square brackets, and where they have lent themselves to restoration, the reconstructions have also been placed inside square brackets. Obscure and fragmentary letters, the reading of which is certain, have not been specially indicated. Defective letters the reading of which is in the slightest degree doubtful, have been marked with a superimposed line (א̄). Mutilated letters so obscure as to make no single reading decisive have been represented by dashes (-). Letters marked with dots by the scribe are similarly marked in the transcription. Erasures are indicated by a virgule (/) for each cancelled letter, and where the cancelled letter is still legible, it is reproduced in the margin preceded by a virgule (א/). Other special phenomena in the manuscript, for instance corrections and change of scribes, are marked with a small circle in the body of the transcription and explained in the marginal notes.

In most cases the lacunae in the *Isaiah Scroll* have been supplied from the Masoretic text (Ginsburg's edition, 1894) and printed in smaller type. Usually the size of the lacuna in the scroll agrees with the length of the corresponding passage in the Masoretic text. Lacunae not showing such agreement have not been filled in and in the missing material has been indicated by dots (Frag. 11, ll. 3-4; col. 1, ll. 1-2; col. 12, l. 5). The same procedure has been followed with lacunae preceded or followed by fragmentary material which does not correspond exactly to the Masoretic text (Frag. 6, l. 1; col. 6, l. 14; col. 10, l. 4). In transcribing this scroll, mutilated letters are not specially marked, as the close correspondence with the Masoretic text establishes their reading with certainty. Verse numbers have been placed in the margin rather than in the body of the text, in order not to add unduly to the extraneous material in the scroll. In general, we have been quite conservative wherever decisions were necessary. In the *Isaiah Scroll* we have followed the policy of transcribing interchangeable letters (*waw* and *yodh*, *beth* and *kaph*) in accordance with the Masoretic text, in order not to multiply doubtful textual variants. In the other scrolls we have read *waw* or *yodh* as seemed most probable to us, and our reading is of course not binding. We have also refrained in these scrolls from proposing conjectural readings in order not to impose our version upon the reader. In a few cases, where the facsimiles show less than can be made out by a close scrutiny of the original photographs, we have not hesitated to rely upon the latter in presenting as certain some readings which may appear dubious in the facsimiles.

CONTENTS OF THE PLATES

PASSAGES OF THE BOOK OF ISAIAH EXTANT IN THE SECOND SCROLL

X 17 - 19	fragment	1	XXX 21 - 26	fragment	9	XLVI 3 - XLVII 14	column	5
XIII 16 - 19		2	XXXV 4 - 5		10	XLVIII 17 - XLIX 15		6
XVI 7 - 11		3	XXXVII 8 - 12		11	L 7 - LI 10		7
XIX 20 - XX 1		4	XXXVIII 12 - XXXIX 8	column	1	LII 7 - LIV 6		8
XXII 24 - XXIII 4		5	XL 2 - 3	fragment	12	LV 2 - LVII 4		9
XXVI 1 - 5		6	XLI 3 - 23	column	2	LVII 17 - LIX 8		10
XXVIII 15 - 20		6	XLIII 1 - 13		3	LIX 20 - LXI 2		11
XXIX 1 - 8		7	XLIII 23 - 27	fragment	13	LXII 2 - LXIV 8		12
XXX 10 - 14		8	XLIV 21 - XLV 13	column	4	LXV 17 - LXVI 24		13

MEASUREMENTS OF THE SCROLLS

(in centimetres)

Measurements of single columns may be inferred from the facsimiles, which are all approximately actual size

ISAIAH SCROLL	*First Sheet*	Length 26	Width 15	Number of columns 2
	Second Sheet	45.5	20	4
	Third Sheet	43	22	4
	Fourth Sheet	27	21	2
WAR OF SONS OF LIGHT WITH THE SONS OF DARKNESS	*First Sheet*	Length 71.5	Width 15.5	Number of columns 4
	Second Sheet	89	15.5	6
	Third Sheet	70	16	5
	Fourth Sheet	47.5	15	3
THANKSGIVING SCROLL	*First Sheet*	Length 61.5	Width 32	Number of columns 4
	Second Sheet	62.5	31.2	4
	Third Sheet	56.5	31	4
	Fourth Sheet (fragmentary)	43	22.5	3

SYMBOLS

- א̄ Letter of doubtful reading
- - Mutilated letter for which no reading is suggested
- [ ] Lacuna
- [א] Restoration
- [א] Restoration in Isaiah Scroll (DSIb) derived from Masoretic Text
- [...] Unrestored Lacuna in Isaiah Scroll (DSIb)
- / Erased letter
- ° Marginal note

Frag. 1: X 17-19

]הו
והיה א]ור ישראל
[לאש וקדושו ללהבה ובערה ואכלה שיתו ושמירו ביום אחד וכבו]ד יערו וכרמלו ת
[מנפש ועד בשר יכלה והיה כמסס נסס ושאר עץ יערו מספר יה]יו ונער
[יכתבם

Frag. 2: XIII 16-19

ונש]יהם
[תשגלנה הנני מעיר עליהם את מדי אשר כסף לא יחשבו וזהב לא יחפצו בו ו]קשתות
[נערים תרטשנה ופרי בטן לא ירחמו על בנים לא תחוס עינם והיתה בבל צבי] ממלכתו ע
לא

Frag. 3: XVI 7-11

לכן ייליל מוא]ב למואב [כלה ייליל
לאשישי קיר חרשת תהגו אך נכאים כי שדמות חשבון אמלל] גפן שבמה בעלי גוים
[הלמו שרוקיה עד יעזר נגעו תעו מדבר שלחותיה נטשו עברו] ים על כן אבכה בבכי יעז[ר
גפן שבמה אריוך דמעתי השבון ואלעלה כי על קיצך ועל קצירך] הידד נפל ונאסף
[שמחה וגיל מן הכרמל ובכרמים לא ירנן לא ירעע] א
[יין ביקבים לא ידרך הדרך הידד השבתי על כן מעי למו]אב ככנור יהמו אע
]לל[ ]--[

Frag. 4: XIX 20—XX 1

]---[
וישלח להם מושיע ורב וה]צילם ונודע [יהוה למצרים
וידעו מצרים את יהוה ביום ההוא ועבדו זבח ומנחה ו]נדרו נדר ליהוה [ושלמו
ונגף יהוה את מצרים נגף ורפוא ושבו עד יהוה ונע]תר להם ורפאם ביום הה[וא
תהיה מסלה ממצרים אשורה ובא אשור במצרים ו]מצרים באשור ועבדו מצרים
[את אשור ביום ההוא יהיה ישראל שלישיה למצרי]ם ולאשור ברכה בקרב הארץ
[אשר ברכו יהוה צבאות לאמר ברוך עמי מצרים ומעשה ידי] אשור ונחלתי ישראל
[בשנת בא תרתן אשדודה בשלה אתו סרגון מ]ל[ך א]שור

Frag. 5: XXII 24—XXIII 4

ותלו עליו כל כבוד בית אביו הצאצאים והצפיעות כל] כלי הקטן
[מכלי האגנות ועד כל כלי הנבלים ביום ההוא נאם יהוה צבאות ת]מוש היתד
[התקועה במקום נאמן ונגדעה ונפלה ונכרת המשא אשר עליה] כי יהוה דבר
[משא צר הילילו אניות תרשי]ש כי שדד מבית
[מבוא מארץ כתים נגלה למו דמו ישבי אי סחר צידון עבר] ים מלאוך ובמים
[רבים זרע שחר קציר יאור תבואתה ותהי סחר גוים בושי] צידון כי אמר ים מעו[ז
]---ל---[

·······]שר השירה הזאת בא[רץ

יהודה עיר עז לנו ישועה ישית חומות וחל פתח]ו שערים   ויבאו Frag. 6, right: XXVI 1-5

[גוי צדיק שמר אמנים   יצר סמוך תצר שלו]ם שלום כי בך בטוח

[בטחו ביהוה עדי עד כי ביה יהוה צור עולמ]ים [כי] השח יושבי מרום

[כרתנו ברית את מות ועם שאול עשינו חזה שוט שוטף] כי עבר לא יבאנו left: XXVIII 15-20

[כי שמנו כזב מחסנו ובשקר נסתרנו לכן כה אמר אדני יהו]ה הנני יוסד

[בציון אבן אבן בחן פנת יקרת מוסד מוסד המאמין לא יחי]ש ושמתי משפט

[לקו וצדקה למשקלת ויעה ברד מחסה כזב וסתר] מים ישטפו וכפר בריתכם

את מות [והזותכם את שאול לא תקום שוט שוט]ף כי יעבר [ו]הייתם לו

למרמס [מדי עברו יקח אתכם כי בבקר בבקר יעבר ביום ובלי]ל[ה והיה]

רק זו[עה הבין שמועה

]---[Frag. 7: XXIX 1-8

]---[

הוי אריאל אריאל] קרית חנה דו[ד ספו שנה על שנה חגים ינקופו

והציקותי לאריאל והיתה] תאניה [ואניה והיתה לי כאריאל וחניתי כדור

עליך וצרתי עליך מצב] והקימו[תי עליך מצרת ושפלת מארץ תדברי ומעפר

תשח אמרתך ו]היה כאוב מאר[ץ קולך ומעפר אמרתך תצפצף והיה כאבק דק

המון זריך וכמץ] עובר המון [עריצים והיה לפתע פתאם מעם יהוה

צבאות תפקד ברעם ו]ברעש וקול [גדול סופה וסערה ולהב אש אוכלה

והיה כחלום חזון לילה] המון כל [הגוים הצבאים על אריאל וכל צביה

ומצדתה והמציקים לה והי]ה כאש[ר יחלם הרעב

Frag. 8: XXX 10-14

אשר אמרו לראים ל]א תראו [ולחזים
לא תחזו לנו נכחות דברו לנו חלקות חזו מהתלות סורו מני] דרך הטו מני א[רח
השביתו מפנינו את קדוש ישראל לכ]ן כה אמר קדוש
[ישראל יען מאסכם בדבר הזה ותבטחו בעשק ונלוז ו]תשענו עליו לכן יהיה
[לכם העון הזה כפרץ נפל נבעה בחומה נשגבה אשר] פתאם לפתח ויבוא שברה
ושברה כ[שבר נבל יוצרים כתות לא יחמל ולא י]מצא במכת[תו חרש לחתות
א]ש מיקו[ד ולחשף מים מגבא
]---[

Frag. 9: XXX 21-26

כי תאמינו וכי ת]שמאילו [וטמאתם את צפוי פסילי כספך ואת
אפדת מסכת זהבך תזרם כמו דוה צא ת]אמר לו ו[נתן מטר זרעך אשר תזרע
את האדמה ולחם תבואת האדמה וה]יה דשן [ושמן ירעה מקניך ביום ההוא
כר נרחב והאלפים והעירים] עבדי הא[דמה בליל חמיץ יאכלו אשר זרה ברחת
ובמזרה והיה על כל הר ג]בה ועל כל גב[עה נשאה פלגים יבלי מים
ביום הרג רב בנפל מגדלים והי]ה אור הלבנ[ה כאור החמה ואור החמה
יהיה שבעתים כאור שבעת ה]ימים ב[יום חבש יהוה את שבר עמו
]א[

Frag. 10: XXXV 4-5

אלהיכם נקם יבוא גמו]ל אלהים הוא [יבוא וישעכם אז תפקחנה
עיני עורים ואזני חר]שים תפתחנ[ה אז ידלג כאיל פסח ותרן לשון
אלם כי נבקעו במדבר] מים ונחלים [בערבה

Frag. 11: XXXVII 8-12

וישב רב שקה וימצא את מלך אשור נלחם על לבנ]ה כי [שמע כי נסע
מלכיש וישמע על תרהקה מל]ך [כוש לאמר יצא להלחם א]תך ויש[מע וישלח
מלאכים אל חזקיהו] לאמר [כה תאמרון אל חזקי]הו מלך [יהודה · · · · ·
· · · · · · · ירו]שלם ביד מלך אש[ור הנה אתה שמעת אשר עשו מלכי אשור
לכל הארצות לה]חרימם ואתה תנ[צל ההצילו אותם אלהי הגוים אשר השחיתו
אבותי את גוזן ואת] חרן ורצף ו[בני עדן
]--[

XXXVIII 12 דורי נס]ע ונגל[ה מ]ני כאהל רעי[· · · ·

14 · · · · · · · · · · · · · · · · · מיום עד] לילה תשלימני כסום עגור כן [אצפצף אהגה

15 כיונה דלו עיני למרום י]הוה חשקה ל[י] ערבני מה אדבר וא[מר לי והוא

16 עשה אדדה כל שנותי על מר] נפשי אדני על[י]הם יחיו ולכל בהן [חיי רוחי

17 ותחל]ימני והחיני הנה [לשלום מר] לי מר ואתה חשקת נפשי [משחת בלי] כי השלכת

18 אחרי גוך כל חטאי כי [לא ש]אול תודך מות יהללך לא ישברו יורדי בור אל

19,20 אמתך חי חי הוא יודך היום כמוני אב לבנים יודע אלה אמתך יהוה להשיעני

21 ונגנותי ננגן כל ימי חיינו על בית יהוה ויאמר ישעיהו ישאו דבלת תאנים

22 וימרחו אל השחין ויחי ויאמר י[חז]קיהו מה [אות] כי אעלה בית יהוה

XXXIX 1 בעת ההיא שלח מרדך בלאדן ב[ן בלאדן מלך בבל ספרים ומנחה א]ל חזקיהו

2 וישמע כי חלה ויחזק וישמח [עליהם חזקיהו ויראם את בית נכתה א]ת הכסף

ואת הזהב ואת הבשמים ואת [השמן הטוב ואת כל בית כליו ואת כל אשר נמצא

באו]צרתיו לא היה דבר אש[ר לא הראם חזקיהו בביתו ובכל ממשלתו

3 ויבוא ישעיהו הנביא [אל המלך חזקיהו ויאמר אליו מה אמרו

האנשים הא]לה ומאין יבאו אליך [ויאמר חזקיהו מארץ רחוקה באו אלי מבבל

4 ויאמר מה] ראו בביתך ויאמר [חזקיהו את כל אשר בביתי ראו לא היה דבר אשר

5-6 לא הראי]תם באצרו[תי ויא]מ[ר ישעיהו אל חזקיהו שמע דבר יהוה צבאות הנה

ימים בא]ים [ונ]שא כל א[שר בביתך ואשר אצרו אבתיך עד היום הזה בבל

7 לא יו]תר [דבר] אמר [יהוה ומבניך אשר יצאו ממך אשר תוליד יקחו והיו

8 סריסים בהי]כל מלך בבל וי[אמר חזקיהו

]ל- - - - -[

[- - - - - - - -]

Frag. 12: XL 2-3 כי מלאה צבאה כי] נרצה עונה [כי לקחה מיד יהוה כפלים בכל חטאתיה קול קורא

במדבר פנו דרך] יהוה ישרו [בערבה מסלה לאלהינו

]-א-[

XLI 3-4 [ירדפם יעבור ש]לום ארח ברגלי[ו לא יבוא מי פעל ועשה קרא

5 הדרות מראש אני יהו]ה ראשון ואת אחרנים [אני הוא ראו איים וייראו קצות]

6 הארץ [יחרדו קר]בו ויאתיון איש את רעהו [יעזורו ול]א[חיו] יאמר [חזק]

7 ויחזק חר[ש את צ]רף מחליק פטיש את הולם פעם [אמר] לדבק טוב הוא ויחזקהו

8 במסמרים ו[ל]א י[מ]וט ואתה ישראל עבדי יעקב אש[ר בח]רתיך זרע אברהם אהבי

9 אשר החזקת[יך] מקצות הארץ ומאציליה קראתיך ואמר לך עבדי אתה בחרתיך

10 ולא מאסתיך [אל] תירא כי עמך אני אל תשתע כי אני אלהיך אמצתיך אף עזרתיך

11 אף תמכתיך בימין צדקי הן יבשו ויכלמו כל הנחרים בך יהיו כאין ויבשו

12 אנשי ריבך תבקשם ולא תמצאם אנשי [מצתך י]היו כאין וכאפס אנשי מלחמתך

13-14 כי אני יהוה אלהיך מח[זיק ימינך האמר לך אל תי]רא אני עזרתיך אל תיראי

15 תולעת יעקב מתי ישראל [אני עזרתיך נאם יהוה וג]אלך קדוש ישראל הנה

שמתיך למורג חרוץ [חדש בעל פיפיות תדוש הרים ו]תדק וגבעות כמוץ תשים

16 תזרם ורוח תשאם [וסערה תפיץ אתם ואתה תגיל ביהוה] בקדוש ישראל

17 תתהלל [העניים והאביונים מב]קשים מים ואין

18 לשונם בצמא נ[שתה אני יהוה אענם אלהי ישראל לא אעזבם אפתח על

ש]פיים נהרות וב[תוך בקעות מעינות אשים מדבר לאגם מים וארץ ציה למוצאי]

19 מים אתן במד[בר ארז שטה והדס ועץ שמן אשים בערבה ברוש תדהר]

20 ותשור יחדיו [למען יראו וידעו וישימו וישכילו יחדו כי יד יהוה עשתה זאת]

וקדוש ישראל [בראה]

21-22 קרבו ריבכם [יאמר יהוה הגישו עצמותיכם יאמר מלך יעקב יגישו ויגידו

לנו את אשר תקרינה הראשנות מה הנה הגידו ונשימה לבנו ונדעה אחריתן]

23 אן הבאות [השמיעונו הגידו האתיות לאחור ונדעה כי אלהים אתם אף תיטיבו]

ותרעו ונ[שתעה

[- -]

[- - - - -]

[- - - -]

XLIII 1 ועתה כה אמר] יהוה בוראך יע[קב ויצרך ישראל אל תירא כי גאלתיך
2 קראתי ב]שמך לי אתה כי תע[בר במים אתך אני ובנהרות לא ישטפוך
3 כי] תלך [ב]מואש לא תכוה ולה[בה לא תב]ער בך כי [אני יהוה אלהיך]
4 קדוש י[ש]ראל מושיעך נתתי [כפרך] מצרים כוש וסבא תחתיך מאשר
יקרת בע[י]ני נכבדת ואני אה[בתיך] ואתנה אדם תחתיך ולאמים תחת נפשך
5-6 אל תירא כי אתך אני ממזר[ח א]ביא זרעך וממערב אקבצך אומר לצפון
7 תני ולתי[מ]ן אל תכלאי הביא[י ב]ניך מרחוק ובנתיך מקצה הארץ כל
8 הנקרא בשמי ולכבדי בראתיו [יצ]רתיו ואף עשיתיו אוציא עם עור ועינים
9 יש וחרשים ואזנים למו כל הגו[י]ם נקבצו יחדיו ויאספו לאמים מי בהם
יגידו זאת [וראשנות ישמיענו ית]נו עדיהם ויצדקו וישמעו ויאמרו
10 אמת [אתם עדי נאם יהוה ועבדי א]שר בהרתי למען תדעו ותאמינו לי
11 ותבי[נו כי אני הוא לפני לא נוצר אל ו]אחריו לא יהיה אנכי אנכי [י]הוה
12 [ואין מבלעדי מושיע אנכי הגדתי והושע]תי השמעתי ואין [בכם זר ו]את[ם
13 עדי נאם יהוה ואני אל גם מיום אני הוא וא]ין מידי מציל אפ[על ומי
ישיבנה] ל־[

Frag. 13: XLIII 23-27

] ותב ־ ־ ־ ־[
־[־]

לא הב]יאת לי שה עלתיך [וזבחיך לא כבדתני לא העבדתיך
במנחה ולא הוגעתיך בלבונ]ה לא קנית לי בכס[ף קנה וחלב זבחיך לא הרויתני
אך העבדתני בחטאו]תיך ה[וגעת]ני בע[ונתיך אנכי אנכי הוא מחה
פשעיך למעני וחטאתיך לא] אזכר הזכירני [נ]ש[פטה יחד ספר אתה למען
תצדק אביך הראשון חטא] ומליציך פשעו בי[

XLIV 21-22 כי] עבדי [אתה יצרתיך עבד לי אתה ישראל לא תנשני מחיתי]
23 כ[עב] פשעיך [וכענן חטאתיך שובה אלי כי גאלתיך רנו שמי]ם
[כי ע]שה יהו[ה הר]יעו תחתיות ארץ [פצחו הרים רנה יער
24 וכל עץ בו כי ג[אל יה]וה יעקב ובישראל יתפא[ר כה אמר יה]וה
גואלך ויוצר[ך מב]טן אנכי יהוה עשה כ[ל נטה שמים ל]בדי
25 רוקע האר[ץ מי] אתי מפר אתת בדים וקוסמ[ים יהולל משי]ב
26 חכמים א[חור] ודעתם יסכל מקים דבר עבדו ו[עצת] מלא[כיו
ישלים האו[מר] לירושלם תשב ולערי יהודה תבנינה וחרבתיה
27-28 אקומם הא[ו]מר לצולה חרבי ונהרתיך אוביש האומ[ר ל]כורש
רעי וכל חפצי ישלים ולאמר לירושלם תבנה והיכל ת[ו]סד
XLV 1 כה אמר יהוה למשיחו לכור[ש] א[ש]ר החזקתי
[בימינו לרד לפניו] גוים ומתני מלכים אפתח לפת[ח] לפניו דל[תים
2 ושערים לא יסגרו אני] לפניך אלך והרורים אוש[ר דלתות נחושה
3 אשבר ובריחי ברזל אג]דע ונתתי לך אוצרת חשך [ומטמני
מסתרים למען תדע כי] אני יהוה הקורא בשמך א[להי ישראל
4 למען עבדי יעקב וישר]אל בחירי ואקרא לך ב[שמך אכנך
5 ולא ידעתני אני יהוה ו]אין עוד וזולתי אין אלה[ים אאזרך
6 ולא ידעתני למען ידעו ממז]רח שמש וממערבה [כי אפס
7 בלעדי אני יהוה ואין עוד יוצר אור ובורא חשך עשה שלום
ובורא רע אני יהוה עשה] כל אלה
8 [הרעיפו שמים ממ]על ושחקים יזלו צדק תפת[ח ארץ
9 ויפרו ישע וצדקה תצמיח] יחד אני יהוה בראתיו הו[י רב
את יצרו חרש את הרשי אד]מה היאמר חמר ליוצרו מה [תעשה
10 ופעלך אין ידים לו הוי] אמר לאב מה תוליד ולאשה [מה תחילין
11 כה אמר יהוה קדוש ישרא]ל ויוצרו האתיות שאלוני [על בני
12 ועל פעל ידי תצוני אנכי עשיתי] ארץ ואד[ם ע]ליה ברא[תי
13 אני ידי נטו שמים וכל צבאם] צויתי אנכי [העירתהו בצדק
וכל דרכיו אישר הוא יבנה] עירי וגלתי [ישלח

XLVI 3-4 הנשא[ים מני רחם ועד זקנה אני הוא ועד שיב]ה אני אסבול
5 אני עש[יתי ואני אשא ואני אסבל ואמלט למי ת]דמיוני ותשוו
6 ותמש[לוני] ונדמה הזלים [זהב מכים וכסף בק]נה ישקלו וישכרו
7 צורף [וי]עשהו אל ויסגד[ו אף ישתחוו ישא]הו על כתף יסבלהו
וינחה[ו תח]תיו ויעמד ממקומו [לא ימיש אף יצע]ק אליו ולא יענה
8 מצר[תו לא] יושיענו זכרו זאת [והתאששו] השיבו פשעים על לב
9 זכר[ו ר]אשנות מעולם כי אנכי [אל ואין עוד] אלהים ואפס כמוני
10 מגיד [מ]ראשית אחרית ומקדם[אשר לא נע]שו אמר עצתי תקום
11 וכל [ח]פצי אעשה קרא ממזרח עיט [מארץ מרח]ק איש עצתו אף דברתי
אף אביאנה יצרתי אף אעשנה
12-13 שמעו אלי אבירי לב הרחקים מצדקה [ק]רבת[י] צדקתי לא תר[חק]
XLVII 1 ותש[וע]תי לא תאחר ונתתי בציון תשו[ע]ה ל[י]שראל תפא[רתי רדי
וש]ב[י ע]ל עפר בתולת בת בבל שבי לארץ אין כסא [בת כשדים
2 כי לא תוסי]פי יקראו לך רכה וענגה קחי רחים וט[חני קמח גלי
3 צמתך חשפי] שבל גלי שוק עברי נהרות תגל ערות[ך גם תראה
4 חרפתך נקם אקח] ולא אפגע אדם גאלנו יהוה צ[באות שמו קדוש
5 ישראל שבי דומם] ובאי בחשך בת כשדים כי ל[א תוסיפי יקראו
6 לך גברת ממלכות קצפ]תי על עמי חללתי נחלתי ו[אתנם בידך
7 לא שמת להם רחמים על זקן] הכבדת עלך מאד [ותאמרי לעולם
8 אהיה גברת עד לא שמת אלה] על לבך לא זכרתי אחר[יתה ועתה שמעי
זאת עדינה הישבת לב]טח האמרה בלבה אני ואפ[סי עוד לא אשב
9 אלמנה ולא אדע שכול] ותבאנה לך שתי אלה רגע ב[יום אחד
שכול ואלמן כתמם באו עלי]ך ברב כשפיך בעצמת ח[בריך מאד
10 ותבטחי ברעתך אמרת אין ראני הכ]מתך ודעתך היא ש[ובבתך
11 ותאמרי בלבך אני ואפסי עוד ובא] עליך רעה לא ת[דעי שחרה ותפל
עליך הוה לא תוכלי כפרה
12 ותבא עליך פתאם] שאה לא תדעי עמ[די נא בחבריך וברב כשפיך
13 באשר יגעת מנעוריך או]ל[י ת]וכלי הועיל א[ולי תערוצי נלאית
ברב עצתיך יעמדו נא ויושיעך הברי] השמים [החזים בכוכבים מודיעים
14 לחדשים מאשר יבאו עליך ה]נה היו כקש [אש שרפתם לא יצילו
את נפשם מיד להבה אין גחלת] לחמם אור ל[שבת נגדו

XLVIII 17 כה אמר יהוה גאלך]

[קדוש ישראל אני יהוה אלהיך] מ[ל]מדך להועיל מדרכיך בדרך תלך

18-19 ולא הק[שבת למצותי ויהי כנ]הר שלמך וצדקתך כגלי הים ויהי

כחול זרעך [וצאצאי מעיך כמעת]יו לא יכרת ולא ישמד שמו מלפני

20 [צאו מבבל] ברחו מכשדים בקול רנה הגידו

השמיעו זאת הוצ[יאוה עד קצה ה]ארץ אמרו גאל יהוה עבדו יעקב

21 ולא צמאו בחרב[ות הוליכם מי]ם מצור הזיל למו ויבקע צר ויזבו מים

22—XLIX 1 אין שלום אמר יה[וה לרשעים] שמעו איים אלי והקשיבו לאמים

2 מרחוק יהוה מבטן [קראני ממעי] אמי הזכיר שמי וישם פי כחרב חדה

3 בצל ידו החביאני וישי[מני לחץ ב]רור באשפתו הסתירני ויאמר לי עבדי

4 אתה ישראל אשר בך הת[פאר וא]ני אמרתי לריק יגעתי לתהו והבל כחי

5 כלתי אך משפטי את יהוה [ופעל]תי את אלהי וע[תה] כה אמר יהוה יוצרי

מבטן לעבד לו לשובב יעקב אליו ויש[ראל לא יאסף וא]כבד בעיני

6 יהוה ואלהי היה עזי ויאמר הנקל מה[יותך לי עבד • • • •]ב את

שבטי יעקב ונצירי ישראל להשיב [ונתתיך לאור גוים להיות ישו]עתי

עד קצה ארץ

7 כה אמר אדני יהוה גואל ישרא[ל קדושו לבזה נפש למתעב גוי לעבד]

משלים מלכים יראו יקומו [שרים וישתחוו למען יהוה אשר נאמן]

8 קדוש ישראל ויבחרך [כה אמר יהוה בעת רצון עניתיך וביום

ישו]עה עזרתיך ואצרך ואת[נך לברית עם להקים ארץ להנחיל נחלות

9 ש]ממת לאמר לאסורים צ[או לאשר בחשך הגלו על דרכים ירעו

10 ובכל שפי]ים מרעיתם ל[א ירעבו ולא יצמאו ולא יכם שרב ושמש

11 כי] מרחמם ינהגם ועל מב[ועי מים ינהלם ושמתי כל הרי לדרך ומסלתי

12 יר]מון הנה אלה מרחוק יב[או והנה אלה מצפון ומים ואלה מארץ סינים

13 רנו שמים וגילי א[רץ יפצחו הרים רנה כי נחם יהוה עמו

14-15 ועניו י]רחם [ותאמר ציון עזבני יהוה ואדני שכחני

התשכח אשה עו]לה מ[רחם בן בטנה

L 7 ואדני יהוה יעזר] לי על כן לא נכלמתי על כן שמתי [פני
8 כחלמיש ואדע כי לא] אבוש קרוב מצדיקי מי יריב אתי
9 [נעמדה יהד מי בע]ל משפטי יגש אלי הן אדני יהוה יעז[ר לי
10 מי הוא ירשיעני] הן כלם כבגד יבלו עש יאכלם מי בכם יר[א
יהוה שמע בקול ע]בדו אשר הלך חשכים ואין נגה לו יבטח בשם
11 יהוה וישען] באלהיו הן כלכם קדחי אש ומאזרי זיקות לכו
[באור אשכם] ובזיקות בערתם מידי היתה זאת לכם למעצבה ת[שכבון]
LI 1 שמעו אלי רדפי צדק מבקשי יהוה הביטו ע[ל]
2 צור [חצבתם ו]על מקבת בור נקרתם הביטו אל אברהם אביכם
3 ואל [שרה תהו]ללכם כי אחד קראתיו ואברכהו וארבהו כי נחם
יהוה צ[יון נחם] כל חרבתיה וישם מדברה כעדן וערבתה כגן
יהוה שש[ון ו]שמחה ימצא בה תודה וקול זמרה
4 הקשיבו אלי עמי ולאמי אלי [האזינו כי] תורה מאתי תצא ומשפטי
5 לאור עמים ארגיע קרוב צ[דקי יצא ישעי וזר]ועי עמים ישפטו
6 אלי איים יקוו ואל זרעי יי[חלון שאו לשמים עיניכ]ם והביטו אל
הארץ מתחת [כי שמים כעשן נמלחו והארץ כבגד ת]בלה וישביה
7 כמוכן ימותו [וישועתי לעולם תהיה וצדקתי לא] תחת שמעו
אלי יודעי [צדק עם תורתי בלבם אל תיראו חרפת] אנוש וממגדפתם
8 אל תחת[ו כי כבגד יאכלם עש וכצמר יאכלם סס] וצדקתי לעולם
תהיה וישו[עתי לדור דורים]
9 עורי עורי [לבשי עז זרוע יהוה עורי כימי קדם דורות עו]למים
10 הלוא את [היא המחצבת רהב מחוללת תנין הלא א]ת היא המ[חרבת]
ים מי [תהום רבה השמה מעמקי ים דרך לעבר גא]ול[ים

LII 7-8 אלהיך קול צפיך נשאו קול יחדיו ירנ[נו כי עין בעין יראו] בשוב
9 יהוה ציון פצחו רננו יחדיו חרבות ירו[שלם כי נחם יהוה ע]מו גאל
10 ירושלם חשף יהוה את זרוע קדשו [לעיני כל הגוים] וראו כל אפסי
11 ארץ את ישועת אלהינו ס[ורו סורו צאו] משם ט[מ]א
12 אל תגעו הברו נשאי כלי יהוה כי לא ב[חפזון תצאו] ובמנסה לא
13 תלכון כי הולך לפניכם יהוה ומאספכם [אלהי יש]ראל הנה ישכיל
14 עבדי ירום וגבה ונשא מאד כאשר שמ[מו עליך] רבים כן משחת
15 מאיש מראהו ותרו מבני אדם כן יזה ג[וים רבים] עליו יקפצו
מלכים פיהם כי אשר לא ספר להם ראו ו[אשר לא] שמעו התבוננו
LIII 1-2 מי האמין לשמעתנו וזרוע יהוה אל מי נגלתה [ויעל כיו]נק לפניו
וכשרש מארץ ציה לא תאר לו ולא הדר ונר[אהו ול]א מראה
3 ונחמדהו נבזה וחדל אישים איש מכאבים וידע חלי וכמסתר
4 פנים ממנו ונבזה ולא חשבנהו אכן חלינו הוא נשא ומכאבינו
5 סבלם° [וא]נחנו חשבנהו נגוע מכה אלהים ומענה והוא מחלל
מפשעינו° ומדכא מעונתינו מוסר שלמנו עליו ובחברתו נרפא ל[נו]

Not in photograph of this column, see Plate 9.

6 כלנו° [כצאן] תעינו איש לדרכו פנינו ויהוה הפגיע בו את עון
7 [כלנו נגש והו]א נע[נ]ה ולא [יפ]תח פיהו כשה לטבוח יובל וכ[רחל
8 לפני גוזיה נאלמה ולא יפתח פ]יו מעצר ממשפט לקחו ואת דו[רו
9 מי ישוחח כי נגזר מארץ חיים] מפשע עמי נגע למו וית[ן את
רשעים קברו ואת עשיר במתיו על ל]א חמס עשה ולא מרמה בפיו
10 [ויהוה חפץ דכאו החלי אם ת]שים אשם נפשו יראה זרע יאר[יך
11 ימים וחפץ יהוה בידו יצלח] מעמל נפשו יראה אור יש[בע
12 בדעתו יצדיק צדיק עבדי לרבי]ם ועונתם הוא יסבול לכן אח[לק
לו ברבים ואת עצומים יחלק] שלל תחת אשר הערה למות [נ]פש[ו
ואת פשעים נמנה והוא חטא]י רבים נשא ולפשעיהם יפגיע
LIV 1 [רני עק]רה לא ילדה פצחי רנה וצהל[י
2 לא חלה כי רבים בני שוממה מבני בעו]לה אמר יהוה הרחי[בי
מקום אהלך ויריעות משכנותיך יטו אל] תחשכי האריכי מתרי[ך
3 ויתדתיך חזקי כי ימין ושמ]אול תפרצי וזרעך גוים יירשו וער[ים
4 נשמות יושיבו אל תיר]אי כי לא תבשי אל תכלמי כי לא תחפר[י
5 כי בשת עלומיך תשכחי וחר]פת אלמנתך לא תזכרי עוד כי
[בעליך עשיך יהוה צבאות] שמו וגואלך קדוש ישראל אלהי
6 [כל הארץ יקרא]כי כאשה עזובה ועצובת רוח

LV 2-3 שמעו שמוע אלי ו[אכלו טוב ותתע]נג בדשן נפשכם הטו אזנכם ולכו
אלי שמעו ותחי נפשכ[ם ואכרת]ה לכם ברית עולם חסדי דויד הנא[מנ]ים
4-5 הן עד לאמים נתתיו נג[יד ומצו]ה לאומ[ים] הן גוי לא תדע תקרא וגו[י]
אשר [לא] ידעוך אליך יר[וצו למ]ען י[הוה אל]היך וקדוש ישראל כי [פאר]ך
6-7 [דרשו יהוה בה]מצאו קראהו בהיותו קרוב// יע[זב]
רשע דרכו ואיש און [מחשבתיו] וישב אל יהוה וירחמהו ואל אלהינו
8 כי ירבה לסלוח כי לא [מחשבותי]כם מחשבתי ולא דרכיכם דרכי נאם
9 יהוה כי גבהו שמים מ[ארץ כן] גבהו דרכי מדרכיכם ומחשבתי
כי
10 ממחשבתיכם כאשר יר[ד הגש]ם והשלג מן השמים ושמה לא ישוב
כי אם הרוה את הארץ וה[ולידה] והצמיחה ונתן זרע לזרע ולחם לאכל
11 כן יהיה דברי אשר יצא מ[פי ל]א ישוב אלי ריקם כי אם עשה את
12 אשר חפצתי והצליח את אשר שלחתי כי בשמחה תצאון ובשלום
תובלון ההרים והגבעות יפצחו לפניכם רנה וכל עצי השדה ימחיו
ר
13 כף תחת הנעצוץ יעלה ברוש ותחת הספד יעלה הדס והיה ליהוה
LVI 1 לשם לאות עולם לא יכרת כה אמר יהוה שמרו משפט ועשו
2 צדקה כי קרובה ישועתי לבוא וצדקתי להגלות אש[ר]י אנוש יעשה זאת
3 ובן אדם יחזיק בה שומר שבת מחללו [ושמ]ר ידו מעשות כל רע ואל
[יאמר] בן הנכר הנלוה על יהוה לא[מר ה]בדל יבדילני יהוה מעל עמו
4 [ואל י]אמר הס[רי]ס הן אני עץ יבש כי כ[ה אמר יהוה] לסריסים אשר
5 [ישמרו] את שבתתי ובחרו באשר חפצתי [ומחזיקים] בבריתי ונתתי
[להם ב]ביתי [ובח]מתי יד ושם טוב מבנים [ומ]בנות שם עולם אתן לו
ה
6 [א]שר לא יכרת ובני נכר הנלוים על יהוה לשרתו ולאהבה את שם
יהוה להיות לו לעבדים כל שמר [שב]ת מחללו ומחזיקים בבריתי
7 והביאתים אל הר קדשי ושמח[תי]ם בב[ית] תפלתי עלתיהם
וזבחיהם לרצון על מזבחי כי ביתי בית ת[פלה] יקרא לכל העמים
8-9 נאם אדני יהוה מקבץ נדחי ישראל עוד [אקבץ עליו] לנקבצו כל חיתו
10 שד[י] את[יו] לאכל כל חייתו ביער [צפו עורים כ]לם לא ידעו
11 כלם כלבים אלמים לא יכלו לנבח הזים ש[כבים אהבי] לנום והכלבים
עזי נפש לא ידעו שב[ע]ה והם רעים לא [ידעו ה]בין כלם לדרכם
12 פנו איש לבצעו מקצהו אתיו אקח יין ונסבאה [ש]כר והיה כזה
LVII 1 [יו]ם [מחר] גדול יתר מאד הצדיק אבד ואין איש שם על לב ואנשי
2 [חסד נאס]פים באין מבין כי מפני הרעה נא[סף הצדיק יבוא]ו שלום
3 [ינוחו על] משכבתם הולך נכחה ואתם קרבו [הנה בני עננה] זרע
4 [מנאף ותזנה על מי] תתענגו [ע]ל מי ת[רחיבו פה תאריכו לשון] הלוא

LVII 17 [בעון בצעו קצפתי וא]כהו הסתר ואקצף וילך שובב ב[דרך לבו
18-19 דרכיו ראיתי וארפאהו] ואנהו ואשלמה נחמים לו ולא[בליו בורא
20 ניב שפתים שלום ש]לום לרחוק ולקרוב[א]מר יהוה [ורפא]ת[יו והרשע]ים
21 כים נר[·· כי השק]ט לא יוכל ויגר[שו מי]מיו רפש ;ט[יט אין שלו]ם
LVIII 1 אמר אלה[י לר]שעים קרא [בג]ר[ון] ואל תחשך וכ[שופר ה]רם
2 קולך והגד [לע]מי פשעם ולבית יעקב חטאתם אתי יום [י]דרשון
ודעת דרכי יחפצון כגוי אשר צדקה עשה ומשפט אלהיו לא עזב
3 ישאלוני משפטי צדק קרבת אלהים יחפצון למה צמנו ולא ראיתה
ענינו נפשתינו לא תדע הן ביום צמכם תמצאו חפץ וכל עצבכם
4 תנגשו הן לריב ולמצה תצומו להכות באגרף רשע ולא תצומו כיום
5 להשמיע במרום קולכם הכזה יהיה צום אבחרהו ויום ענות אדם
נפשו הלכף כאגמן ראשך שק ואפר יציע הלזה תקרא צום יום רצון
6 ליהוה הלוא זה צום אבחרהו פתח חרצבת רשע התר אגדת מטה
7 שלח רצצים חפשים וכל מטה תנתקו הלוא פרוס לרעב לחמך עניים
מרדים תביא בית כי תראה ערום וכסיתו ומבשרך לא תתעלם
8 אז יבקע כשחר אורך ארוכתך מהרה תצמח והלך לפניך צדקך
9 וכבוד יהוה יאספך אז תקרא ויהוה יענה תשווע ויאמר הנני אם
10 תסיר מתוכך מטה שלח אצבע ודבר און ותפק לרעב נפשך ונפש
11 נענה תשביע וזרח בחשך אורך ואפלתך כצהרים ונחך יהוה תמיד
מ
והשביע בצחצחת נפשך ועצמתיך יחלצו והיית כגן רוה וכוצא
12 מים אשר לא יכזבו מימיו ובנו ממך חרבות עולם מוסדי דור
13 ודור תקומם וקרא לך גודר פריץ משיב נתיבות לשבת אם תשיב
משבת רגלך עשות חפצך ביום קדשי וקראת לשבת ענג ולקדוש
14 יהוה [מכב]ד וכבדתו מעשות דרכך ממצוא חפצך ו[דב]ר דבר אז
תתענג [על] יהוה והרכיבך על במתי ארץ והאכלתיך [נח]לת יעקב
LIX 1 אביך כי פי יהוה דבר הן לא קצרה יד יהוה מהושיע ולא
2 כבדה אזנו משמוע כי עונתיכם היו מבדילים בינכם ובין אלהיכם
3 וחטאתיכם הסתירו פנים מכם משמוע כי כפיכם נגאלו בדם
ואצבעתיכם בעון שפתותיכם דברו שקר לשונכם עולה תהגה
4 אין קורא בצדק ואין נשפט באמונה בטחו על תהו דברו שוא
5 הרו עמל והולידו און ביצי צפעוני בקעו וקורי עכביש יארגו
6 האוכל מבציה[ם ימות והזורה]תבקע אפעה קוריהם לא יהיו
לבגד ולא ית[כסו במעשיהם מ]עשיהם מעשי און [ופ]על חמס
7 בכפיהם רגליה[ם לרע ירצו וימ]הרו לשפך דם [נקי] מחשבתי[הם
8 מחשבות און שד ושבר במסלותם] דרך שלום לא [ידעו

נאם יהוה ואני זא[ת בריתי א]ותם אמר יהוה רוחי אשר עליך LIX 20-21
ודברי אשר שמתי [בפיך לא י]מ[ו]ש מפיך ומפי זרעך ומפי זר[ע]
זרעך אמר יהוה מע[תה ועד] עולם קומי אורי כי בא LX 1
אורך וכבוד יהוה [עליך זרח כי] הנה החשך יכסה ארץ 2
והערפל לאמים ועליך [יזרח יהו]ה וכבדו עליך יראה והלכו 3
גוים לאורך ומלכים [לנגה ז]רחך שאי סביב עיניך וראי 4
כלם נקבצו באו לך בני[ך מ]רחוק יבאו ובנתיך על צד תנשינה
אז תראי ונהרת ופחד [ורחב] לבבך כי יהפך אליך המון ים חיל 5
גוים יבוא לך שפעת גמלים תכסך בכרי מדין ועיפה כלם משבא 6
יבאו זהב ולבנה ישאו [ו]תהלת [יה]וה יבשרון כל צאן קדר יקבצו 7
לך אילי נביות ישרתונך יעלו [על ר]צון מזבחי ובית תפארתי
אפאר מי אלה כעב תעפינה וכ[י]ונים על ארבתיהם כי לי 8-9
איים יקוו ואניות תרשיש בר[א]שנה להביא בניך מרחוק כספם
וזהבם אתם לשם יהוה אלהיך ולקדוש ישראל כי פארך ובנו 10
בני נכר חמתיך ומלכיהם ישרתונך כי בקצפי הכיתיך וברצני
רחמתיך ופתחו שעריך תמיד יומם ולילה לא יסגרו להביא 11
אליך היל גוים ומלכיהם נהוגים כי הגוי והממלכה אשר לא 12
יעבדוך יאבדו והגוים חרוב יחרבו כבוד הלבנון אליך יבוא 13
בראש תדהר ותאשור יחדיו לפאר מקום מקדשי ומקום רגלי
אכבד והלכו אליך שחוח כל [בני מעניך] והשתחוו על כפות 14
רגליך כל מנאציך וקראו לך ע[יר יהוה צ]יון קדוש ישראל
תחת היותך עזובה ושנואה וא[ין עו]בר ושמתיך לגאון עולם 15
משוש דור ודור וינקת חלב [גוי]ם ושד מלכים תינקי וידעת 16
כי אני יהוה מושיעך וגואלך אביר יעקב תחת הנהשת 17
אביא זהב ותחת הברזל אביא כסף ותחת העצים נחשת
ותחת האבנים ברזל ושמתי פקדתך שלום ונגשיך צדקה
לא ישמע עוד חמס בארצ[ך] שד ושבר בגבולך וקראת ישועה 18
חמ[ת]יך ושעריך תהלה לא יהיה לך עוד השמש לאור יומם 19
ולנגה הירח לא יאיר לך והיה לך יהוה לאור עולם ושלמו ימי 20
אבלך ועמך כלם צדיקים לעולם יירשו ארץ מטעיו מעשה 21
ידיו להתפאר הקטן יהיה לאלף והצעיר לגוי עצום אני 22
יהוה בעתה אחישנה
ש
[רוח יה]וה אלהים עלי יען משח יהוה אתי לב[שר ענו]ים לחני LXI 1
[לחבש לנ]שברי לב לקר[א לשבוי]ם דרור [ולאסורים פ]קחקח
[לקרא שנ]ת רצון לי[ה]וה [ויום נקם] לאל[הינו לנחם כל א]בלים 2

LXII 2-3 [וכל] מלכים כבודך וקרא [לך שם חדש א]שר פי יהוה [יקבנו] והיית [עטרת תפאר]ת ביד

4 יה[וה וצנ]ופ מלכה בכפ אל[היך לא יאמר] לך עוד עזובה ול[אר]צך לא [יאמר עוד שמ]מה כי לך

5 [יקרא חפצי בה] ולארצך [בעולה כי חפץ] יהוה בך וארצך תבעל כי יבע[ל בחור] בתולה

6 [יבעלוך בניך ומשו]ש חתן על כלה [ישיש על]יך אלהיך על חמ[תיך ירו]שלם הפ[קדתי ש]מרים כל

7 [היום וכל הלי]לה לא יחשו המז[כירים את] יהוה אל דמי לכם [ואל תת]נו דמי לכם ע[ד·····]ם את

8 [ירושלם ת]הלה בארץ נשבע יה[וה בימ]ין עזו אם אתן עוד [את ד]גנך מאכל ל[איביך ו]אם ישתו

9 [בני נכר תירו]שך אשר [יגע]ת בו [כי] מאספיו יאכלהו והללו א[ת יהו]ה ומ[קבציו י]שתהו בחצרת

10 [קדשי עברו] עברו בשערים [פנו דרך ה]עם סלו סלו המסלה [סקלו] אבן [הרימו נס] על העמים

11 [הנה יהוה] השמיע אל קצה [ה]ארץ אמרו לבת ציון הנה [ישעך בא] הנה [שכרו א]תו ופעלתו

12 [לפניו וקראו] להם עם הקד[ש ג]אולי יהוה ולך יקרא דרושה עיר לא נעזב[ה]

LXIII 1 [מי זה בא מ]א[ד]ום חמוץ בגדים מבצרה זה הדור בלבושו [צע]ה ברב כחו [אני] מדבר בצדק

2-3 [רב להושיע מד]וע אדם ללבושך [ו]בגדיך כדורך בגת [פור]ה דרכתי לבדי [ומ]עמים אין

4 [איש אתי] ואדרכם באפי וארמסם בחמתי ויז נצחם על בגדי וכל מלב[ושי] גאלתי כי

5 [יום נקם] בלבי [ושנת] גאולי באה ואביטה ואין איש ואשתוממה ואין סו[מך ו]תושע לי זרעי

6-7 [וחמתי היא סמכתני וא]בוסה [עמים באפ]י ואשכירם בחמתי ואורידה ל[ארץ נצחם חסדי

יהוה אזכיר תהלות יהוה כ]על כל [אשר גמלנו] יהוה [ורב טוב] לבית ישר[אל אשר גמלם כרחמיו

8-9 וכרב חסדיו ויאמר אך עמי] המה [בנים לא ישקרו ויהי להם] למושיע [בכל צרתם לא

10 צר ומלאך פניו הושיעם באהבתו ובחמלתו הוא גאלם וינטלם וינ]שאם כל [ימי עולם והמה מרו

11 ועצבו את רוח קדשו ויהפך להם לאויב הוא נלחם בם ויזכר] ימי עולם [משה עמו איה

12 המעלם מים את רעי צאנו איה השם בקרבו את רוח קדשו מוליך] לימין מ[שה זרוע

13 תפארתו בוקע מים מפניהם לעשות לו שם עולם מוליכם בתהמות] כסוס במד[בר לא יכשלו

14-15 כבהמה בבקעה תרד רוח יהוה תניחנו כן נהגת עמך לעשות לך] שם תפארת [הבט משמים

וראה מזבל קדשך ותפארתך איה קנאתך וגבורתך המון מ]עיך ורחמיך [אלי התאפקו

16 כי אתה אבינו כי אברהם לא ידענו וישראל לא יכירנו אתה] יהוה אבינ[ו גאלנו מעולם] שמך

17 [למה תתענו יהוה] מדרכיך תק[שיח ל]בנו [מיראתך ש]וב למען עבדיך [שבטי נח]לתך

18-19 [למצער ירשו ע]ם קדשך [צרינו בוססו] מקדשך [הי]ינו מעולם לא מ[שלת בם לא] נקרא

LXIV 1 [שמך עליהם לוא ק]רעת שמים [ירדת מפני]ך הר[ים נזלו ככקדח אש המס]ים [מי]ם

6-7 [ואין קורא בשמך מ]תעור[ר להחזיק בך כי הסתרת פניך ממנו ותמוגגנו ביד עוננו ועתה

8 יהוה אבינו אתה א]נחנ[ו ה]חמר ו[אתה יצרנו ומעשה ידך כלנו אל תקצף יהוה עד

מאד ואל לעד תזכר ע]ון הן הבט נא [עמך כלנו

LXV 17-18 בורא [שמים חדשי]ם [וא]רץ חדשה ולא תזכ[רנה הראש]נות ולא [תעלינ]ה על לב [כי אם שישו]

19 וגילו [עדי עד א]שר [א]ני בורא כי הנני בור[א את ירוש]לם גילה [ועמ]ה משוש [וגלתי בירושלם]

20 וששתי בע[מי ול]א ישמע בה עוד קול בכי וק[ול ז]עקה לא יהיה משם עוד עול [ימים וזקן אשר]

21 לא ימלא את י[מיו] כי הנער בן מאה שנה ימות והחו[ט]א בן מ[א]ה שנה יקלל ו[בנו] ב[תים]

22 וישבו ונט[עו כרמי]ם ואכלו פרים לא יבנו ואחר ישב לא [יטעו] ואחר יאכל כי כימי ה[עץ]

23 ימי עמי [ומע]שה ידיהם יבלו בהירי לא יגעו לריק ולא ילדו לבהלה כי זרע ברכי יהוה

והיה

24-25 הם וצצא[יה]ם אתם טרם יקראו ואני אענה עוד המה מדברים ואני אשמע זאב [ו]טלה

ירעו כאחד [ואri]ה כבקר יאכל ת[בן] ונחש עפר לחמו לא ירעו ולא ישחיתו בכ[ל הר] קדשי

LXVI 1 אמר יהוה   כה אמר יהוה השמ[ים כס]אי והארץ [הד]ם רגלי

2 איזה בית א[שר] תבנו [לי] ואיזה מק[ום] מנחתי ואת כל אלה ידי עשתה ויהיו כל א[לה] נאם יהוה

3 ואל זה אביט [א]ל עני ונכאה רוח וחרד אל דברי שוחט השור מכה איש זוב[ח הש]ה עורף

כלב מעלה מנ[ח]ה דם חזיר מזכ[יר] לבנה מברך און גם המה בחרו בדרכיהם ובש[קו]ציהם נפשם

4 חפצה גם א[ני] אבחר בתעלליהם [ו]במגרתם אביא להם יען קראתי ואין עונה דברתי ולא

שמעו ויעשו הרע בעיני ובאשר [לא] חפצתי בחרו

5 שמעו דבר [יהוה החרדים א]ל ד[ברו] אמרו אחיכם שנאיכם [מנדי]כם למען שמי יכבד יהוה

6 [ונראה בשמחתכם והם יבשו קול שאון מעיר] קול [מהיכל קול י]הוה משלם גמ[ול לאיביו

7-8 בטרם תחיל ילדה בטרם יבוא ח]בל לה והמלי[טה זכר מי שמע כזא]ת מי ראה כ[אלה היו]חל

9 [ארץ ביום אחד אם יולד גוי פ]עם אחת כי [חלה גם ילדה ציון] את בניה הא[ני אשביר ולא

10 אוליד יאמר יהוה אם אני המ]וליד ועצרתי [אמר אלהיך]   [שמחו את

11 ירוש]לם [וגילו בה כל אהביה שי]שו אתה מ[שוש כל המתאבלים על]יה למען תי[נקו ושבעתם]

12 משד תנח[מיה למען תמצו והת]ענגתם מזיז [כבודה כי כה אמר י]הוה הנני נו[טה אליה כנהר]

13 שלום וכ[נחל שוטף כבוד גוי]ם וינקתם על [צד תנשאו ועל ברכי]ם תשעשעו [כאיש אשר]

14 אמו תנח[מנו כן אנכי אנחמכם] ובירושלם ת[נחמו וראיתם ושש] לבכם ועצמ[ותיכם כדשא]

תפרחנה ונו[דעה יד] יהוה [את] עבדיו וזעם את [איביו]

15 כי ה[נה] יהוה באש יב[וא וכסופה מרכבתיו] להשיב בח[מה אפו] וגערתו

16-17 בלהבי [אש כי באש] יהוה [נשפט] ובחרבו את כל [בשר ורבו] חללי [יהו]ה המת[קדשים והמ]טהרים

אל הג[נות אחר אח]ת בתוך אכלי בשר החז[יר והשקץ] והעכבר יחדו [יספו נאם] יהוה

18 [ואנכי מעשיהם ומח]שבת[יה]ם בא[ה לקבץ את כל הגוים] והלשנות ובא[ו וראו את] כב[וד]י

19 [ושמתי בהם] אות ושלחתי [מה]ם פליט[ים אל הגוים תרשי]ש פול ולוד מ[שכי ק]שת תבל

[ויון האיים] הרחקים [אשר] לא שמ[עו את שמעי ולא רא]ו את כבו[די ו]הגידו את

20 [כבודי בגוי]ם והביאו את [כל אחי]כם מכל [הגוים מנחה ליהוה] בסוסים [וברכב ובצבים

ובפרדים וב]כרכרות על הר [קד]שי ירו[שלם אמר יהו]ה

21 כא[שר יביאו בני ישראל את המנחה בכלי טהור בית יהוה וגם מה]ם אק[ח לכהנים]

22 ללוים א[מר יהוה כי כאשר השמים החדשים] והארץ ה[חדש]ה אשר אני [עשה עמדים]

23 לפני נאם [יהוה כן יעמד זרעכם ושמכם והיה מ]די ח[דש בח]דשו ומדי [שבת בשבתו]

א

24 יבוא [כל בשר להשתחות לפני אמר יהוה ויצאו וראו בפגרי ה]נשים [הפשעים בי

] המלחמה ראשית משלוח יד בני אור להחל בגורל בני חושך בחיל בליעל בגדוד אדום ומואב ובני עמון

וה־[ ] פלשת ובגדודי כתיי אשור ועמהם בעזר מרשיעי ברית בני לוי ובני יהודה ובני בנימין גולת המדבר ילחמו בם

כ̄[ ] לכול גדודיהם בשוב גולת בני אור ממדבר העמים לחנות במדבר ירושלים ואחר המלחמה יעלו משם

־[ ] הכתיים במצרים ובקצו יצא בחמה גדולה להלחם במלכי הצפון ואפו להשמיד ולהכרית את קרן

]אה עת ישועה לעם אל וקץ ממשל לכול אנשי גורלו וכלת עולמים לכול גורל בליעל והיתה מהומה

ג[ ]בני יפת ונפל אשור ואין עוזר לו וסרה ממשלת כתיים להכ̇ני[ע] רשעה לאין שארית ופלטה לוא תהיה

־[ ]י חושך

־[ ]־ק יאירו לכול קצוות תבל הלוך ואור עד תום כול מועדי חושך ובמועד אל יאיר רום גודלו לכול קצי

] לשלום וברכה כבוד ושמחה ואורך ימים לכול בני אור וביום נפול בו כתיים קרב ונחשיר הזק לפני אל

ישראל כיא הואה יום יעוד לו מאז למלחמת כלה לבני חושך בו יתקרבו לנחשיר גדול עדת אלים וקהלת

אנשים בני אור וגורל חושך נלחמים יחד לגבורת אל בקול המון גדול ותרועת אלים ואנשים ליום הווה והיאה עת

צרה ע[ ] לעם פדות אל ובכול צרותמה לוא נהיתה כמוה מחישה עד תומה לפדות עולמים וביום מלחמתם בכתיים

־ ־[ ]שיר במלחמה שלושה גורלות יחזקו בני אור לנגוף רשעה ושלושה יתאזרו חיל בליעל למשיב גורל

דג]לי הבנים יהיו להמס לבב וגבורת אל מאמ־ל[ ]־בג̇ו̇רל השביעי יד אל הגדולה מכנעת

]ל מלאכי ממשלתו ולכול אנשי [[

] קדושים יופיע בעזר[ ]אמת לכלת בני חושך ג־[

]ין̇ גדול ־ ־[ ]־ם יתנו יד בכל [

אבות העדה שנים וחמשים ואת ראשי הכוהנים יסרוכו אחר כוהן הראש ומשנהו ראשים שנים עשר להיות משרתים
בתמיד לפני אל וראשי המשמרות ששה ועשרים במשמרותם ישרתו ואחריהם ראשי הלויים לשרת תמיד שנים עשר אחד
לשבט וראשי משמרותם איש במעמדו ישרתו וראשי השבטים ואבות העדה אחריהם להתיצב תמיד בשערי המקדש
וראשי משמרותם עם פקודיהם יתיצבו למועדיהם לחודשיהם ולשבתות ולכול ימי השנה מבן חמשים שנה ומעלה
אלה יתיצבו על העולות ועל הזבחים לערוך מקטרת ניחוח לרצון אל לכפר בעד כול עדתו ולהדשן לפניו תמיד
אלה
בשולחן כבוד את כול יסרוכו במועד שנת השמטה ובשלוש ושלושים שני המלחמה הנותרות יהיו אנשי השם
י
קרואי המועד וכול ראשי אבות העדה בחרים להם אנשי מלחמה לכול ארצות הגוים מכול שבטי ישראל יחלוצו
להם אנשי חיל לצאת לצבא כפי תעודות המלחמה שנה בשנה ובשני השמטים לוא יחלוצו לצאת לצבא כיא שבת
מנוח היאה לישראל בחמש ושלושים שני העבודה תערך המלחמה שש שנים ועורכיה כול העדה יחד
ומלחמת המחלקות ב°תש[ע] ועשרים הנותרות בשנה הראישונה ילחמו בארם נהרים ובשנית בבני לוד ובשלישית
ילחמו בשאר בני ארם בעוץ וחול תוגר ומשא אשר בעבר פורת ברביעית ובחמישית ילחמו בבני ארפכשד
בששית ובשביעית ילחמו בכול בני אשור ופרס והקדמוני עד המדבר הגדול בשנה השמינית ילחמו בבני
עילם בתשיעית ילחמו בבני ישמעאל וקטורה ובעשר השנים אשר אחריהם תחלק המלחמה על כול בני חם
ל[ ]שׁבׄותם ובעשר השנים הנותרות תחלק המלחמה על כול [מ]וׄשבותיהם

]ׄת התרועה לכול עבׄוׄדתם ל[ ] לפקודיהם
] ועושרות ׄל חׄ[

Cancelled initial stroke of a ש

amaged
ritten by
hand
ne

סדרי המלחמה וחצוצרות°
(סדרי המלחמה וחצוצרות) מקראם בהפתח שערי המלחמה לצאת אנשי הבנים וחצוצרות תרועות החללים וחצוצרות
צ
המארב וחצוצרות המרדף בהנגף אויב והצוזרות המאסף בשוב המלחמה על חצוצרות מקרא העדה יכתובו קרואי אל
ועל חצוצרות מקרא ה/שרים יכתובו נשיאי אל ועל חצוצרות המסורות יכתובו סרך אל ועל חצוצרות אנשי ס /
. . .
השם יכתובו. ראשי אבות העדה בהאספם לבית מועד יכתובו תעודות אל לעצת קודש ועל חצוצרות המחנות
. .
יכתובו שלום אל במחני קדושיו ועל חצוצרות מסעיהם יכתובו גבורות אל להפיץ אויב ולהנים כול משנאי
צדק ומשיב חסדים במשנאי אל ועל חצוצרות סדרי המלחמה יכתובו סדרי דגלי אל לנקמת אפו בכול בני חושך
ועל חצוצרות מקרא אנשי הבנים בהפתח שערי המלחמה לצאת למערכת האויב יכתובו זכרון נקם במועד
אל ועל חצוצרות החללים יכתובו יד גבורת אל במלחמה להפיל כול חללי מעל ועל חצוצרות המארב יכתובו
רזי אל לשחת רשעה ועל חצוצרות המרדף יכתובו נגף אל כול בני חושך לוא ישיב אפו עד כלותם
ובשובם מן המלחמה לבוא המערכה יכתובו על חצוצרות המשוב אסף אל ועל חצוצרות דרך המשוב
ממלחמת האויב לבוא אל העדה ירושלים יכתובו גילות אל במשוב שלום

סרך אותות כול העדה למסורותם על האות הגדולה אשר בראש כול העם יכתובו עם אל ואת שם ישראל
ואהרון ושמות שנים עשר ש[ ]ל כתולדותם על אותות ראשי המחנות אשר לשלושת השבטים
יכתובו ב־־[ע]ל [א]ות השבט יכתובו נס אל ואת שם נשי ה־[
משפ̄־[ ] שם הנשיא הרבוא ואת שמות ש־[
] מ̄א̄־ ־ ־ ועל א̄־[

ועל אות מררי יכתובו תרומת אל ואת שם נשי מררי ואת שמות שרי אלפיו ועל אות הא[ל]ף̄ יכתובו אף אל בעברה על
בליעל ובכול אנשי גורלו לאין שארית ואת שם שר האלף ואת שמות שרי מאיותיו ועל אות המאה יכתובו מאת
אל יד מלחמה בכול בשר עול ואת שם שר המאה ואת שמות שרי עשרותיו ועל אות החמשים יכתובו חדל
מעמד רשעים [ ]גבורת אל ואת שם שר החמשים ואת שמות שרי עוֹשרותיו על אות העשרה יכתובו רנות
אל בנבל עשור̄ ואת שם שר העשרה ואת שמות תשעת אנשי תעודתו
ובלכתם למלחמה יכתובו על אותותם אמת אל צדק אל כבוד אל משפט אל ואחריהם כול סרך פרוש שמותם
ובגשתם למלחמה יכתובו על אותותם ימין אל מועד אל מהומת אל חללי אל ואחריהם כול פרוש שמותם
ובשובם מן המלחמה יכתובו על אותותם רומם אל גדל אל תשבוחת אל כבוד אל עם כול פרוש שמותם
סרך אותות העדה בצאתם למלחמה יכתבו על אות הראישונה עדת אל על אות השנית מחני אל על השלישית
שבטי אל על הרביעית משפחות אל על החמישית דגלי אל על הששית קהל אל על השביעית קרואי
אל על השמינית צבאות אל ופרוש שמותם יכתובו עם כול סרכם ובגשתם למלחמה יכתובו על אותותם
מלחמת אל נקמת אל ריב אל גמול אל כוח אל שלומי אל גבורת אל כלת אל בכול גוי הבל ואת כול פרוש
שמותם יכתובו עליהם ובשובם מן המלחמה יכתובו על אותותם ישועות אל נצח אל עזר אל משענת אל
]חת̄ אל הודות אל תהלת אל שלום אל

]־ות̄ אות כול העדה אורך ארבע עשרה אמה אות ־ל[ע]שרה אמה
] שׂתים עשרה אמה ־־־־־־־א עשתי עש[ה
ת]שע אמות
] אמות אוֹת̄ העשרה ש[

ועל מ̄[ ]־ נשיא כול העדה יכתבו שמ־[ ]שם ישראל ולוי ואהרון ושמות שנים עשר שבטי ישראל כתול[ד]ותם

ושמות שנים עשר שרי שבטיהם

ער

סרך לסדר דגלי המלחמה בהמלא צבאם להשלים מכת פנים על אלף איש תאסר המערכה ושבעה סדרי

ר

פנים למערכה האחת סדו/ים בסרך מעמד איש אחר איש וכולם מחזיקים מגני נחושת מרוקה כמעשה כ/

מראת פנים והמגן מוסב מעשי גדיל שפה וצורת מחברת מעשה חושב זהב וכסף ונחושת ממוזזים

ואבני חפץ אבדני ריקמה מעשה חרש מחשבת אורך המגן אמתים וחצי ורוחבו אמה וחצי ובידם רמח

וכידן אורך הרמח שבע אמות מזה הסגר והלוהב חצי האמה ובסגר שלושה צ̄מידים מפותחים כמעשי

גדיל שפה בזהב וכסף ונחושת ממוזזים כמעשי צורת מחשבת ומחברת הצ[ ]רה מזה ומזה לצמיד

סביב אבני חפץ בדני ריקמה מעשי חרש מחשבת ושבולת והסגר מחורץ בין הצמידים כמעשי

עמוד מחשבת והלוהב ברזל לבן מאיר מעשי חרש מחשבת ושבולת זהב טהור בתוך הלהב ושפוד אל

הראש והכידנים ברזל ברור טהור בכור ומלובן כמראת פנים מעשי חרש מ[ח]שבת ומראי שבולת̄

זהב טהור חוברת בו לשני עבריו וספות ישר אל הראוש שתים מזה ושתים מזה אורך הכידן אמה

וחצי ורוחבו ארבע אצבעות והבטן ארבע גודלים וארבעה טפחים עד הבטן והבטן מרוגלת הנה

והנה חמשה טפחים ויד הכידן קרן ברורה מעשה חושב צורת ריקמה בזהב ובכסף ואבני חפץ

ובעמוד ה[ ]יסדרו שבע המערכות מערכה אחר מערכה

־ ־ז̄ה̄[ש]לושים באמה אשר יעמודו שם אנ̄ש̄[

]ל־ ־ הפנים ־ ־ ־ ־ ־ [

שבע פעמים ושבו למעמדם ואחריהם יצאו שלושה דגלי בינים ועמדו בין המערכות הדגל הראישון ישליך [א]ל
מערכת האויב שבעה זרקות מלחמה ועל לוהב הזרק יכתובו ברקת חנית לגבורת אל ועל השלט השני יכתובו
זיקי דם להפיל חללים באף אל ועל הזרק השלישי יכתובו שלהובת חרב אוכלת חללי און במשפט אל
כול אלה יטילו שבע פעמים ושבו למעמדם ואחריהם יצאו שני דגלי בינים ועמדו בין שתי המערכות הדגל
ער
הראישון מחזיק חנית ומגן והדגל השני מחזיקי מגן וכידן להפיל חללים במשפט אל ולהכניע מכת
אויב בגבורת אל לשלם גמול רעתם לכול גוי הבל והיתה לאל ישראל המלוכה ובקדושי עמו יעשה חיל

ושבעה סדרי פרשים יעמודו גם המה לימין המערכה ולשמאולה מזה ומזה יעמודו סדריהם שבע מאות
פרשים לעבר האחד ושבע מאות לעבר השני מאתים פרשים יצאו עם אלף מערכת אנשי הבינים וכן
ר
יעמודו לכול ע[ ]־־ המחנה הכול שש מאות וארבעת אלפים ואלף וארבע מאות רכב לאנשי סרך המעכות
חמשים למערכה̊ [ ]חת ויהיו הפרשים על רכב אנשי הסרך ששת אלפים חמש מאות לשבט כול הרכב היוצאים
למלחמה עם אנש̊[י] הבנים סוסים זכרים קלי רגל ורכי פה וארוכי רוח ומלאים בתכון ימיהם מלומדי מלחמה
ובעולים לשמוע [ק]ולות ולכול מראי דמיונים והרוכבים עליהם אנשי חיל למלחמה מלומדי רכב ותכון
ימיהם מבן שלו̊ש̊ים שנה עד בן חמש וארבעים ופרשי הסרך יהיו מבן ארבעים שנה ועד בן חמשים והמה
־־[ ]ל[ ]ות ובתי ראשים ושוקים ומחזיקים בידם מגני עגלה ורמח ארוך ־־[
]וקשת וחצים וגרקות מלחמה וכולם עתודים ב־[
]ל לשפוך דם חללי אשמתם אלה המה ה־[

ש ש

ואנשי הסרך יהיו מבן ארבעים שנה ועד בן חמשים וסורכי המחנות יהיו מבן /חמ/ים שנה ועד בְן //שים והשוטרים //חמ יהיו גם הם מבן ארבעים שנה ועד בן חמשים וכול מפשיטי החללים ושוללי השלל ומטהרי הארץ ושומרי הכלים ועורך הצידה כולם יהיו מבן חמש ועשרים שנה ועד בן שלושים וכול נער זעטוט ואשה לוא יבואו למחנותם בצאתם מירושלים ללכת למלחמה עד שובם וכול פסח או עור או חגר או איש אשר מום עולם בבשרו או איש מנוגע בטמאת בשרו כול אלה לוא ילכו אתם למלחמה כולם יהיו אנשי נדבת מלחמה ותמימי רוח ובשר ועתודים ליום נקם וכול איש אשר לוא יהיה טהור ממקורו ביום המלחמה לוא ירד אתם כיא מלאכי קודש עם צבאותם יחד ורוח יהיה בין כול מחניהמה למקום היד כאלפים באמה וכול ערות דבר רע לוא יראה סביבות כול מחניהם

ובסדר מערכות המלחמה לקראת אויב מערכה לקראת מערכה ויצאו מן השער התיכון אל בין המערכות שבעה כוהנים מבני אהרון לובשים בגדי שש לבן כתונת בד ומכנסי בד וחוגרים באבנט בד שש משוזר תכלת וארגמן ותולעת שני וצורת ריקמה מעשה חושב ופרי מגבעות בראשיהם בגדי מלחמה ואל המקדש לוא יביאום הכוהן האחד יהיה מהלך על פני כול אנשי המערכה לחזק ידיהם במלחמה וביד הששה יהיו חצוצרות המקרא וחצוצרות הזכרון והצוצרות התרועה וחצוצרות המרדף וחצוצרות המאסף ובצאת הכוהנים אל בין המערכות יצאו עמהמה שבעה לויים ובידם שבעת שופרות היובל ושלושה שוטרים מן הלויים לפני הכוהנים והלויים ותקעו הכוהנים בשתי חצוצרות הםּ֯־[ ]לחמה על חמשים מגן וחמשים אנשי בינים יצאו מן השער האחד [ ]לויים שוטרים ועם כול מערכה ומערכה יצאו ככול הס[ ]־ינים מן השערים]ד֯ו בין שתי ה־־־־־[ ]־ המל[

החצוצרות תהיינה מריעות לנצח אנשי הקלע עד כלותם להשליך שבע
פעמים ואחר יתקעו להם הכוהנים בחצוצרות המשוב ובאו ליד המערכה
הראישונה להתיצב על מעמדם ותקעו הכוהנים בחצוצרות המקרא ויצאו
שלושה דגלי בינים מן השערים ועמדו בין המערכות ולידם אנשי הרכב
מימין ומשמאול ותקעו הכוהנים בחצוצרות קול מרודד ידי סדר מלחמה
והראשים יהיו נפשטים לסדריהם איש למעמדו ובעומדם שלושה סדרים
יתקעו להם הכוהנים תרועה שנית קול נוח וסמוך ידי מפשע עד קורבם
למערכת האויב ונטו ידם בכלי המלחמה והכוהנים יריעו בשש חצוצרות
החללים קול חד טרוד לנצח מלחמה והלויים וכול עם השופרות יריעו
קול אחד תרועת מלחמה גדולה להמס לב אויב ועם קול התרׄועה יצאו
זרקות המלחמה להפיל חללים קול השופרות יחישו ובח[צוצ]רות יהיו
הכוהנים מריעים קול חד טרוד לנצח ידי מלחמה עד השליכם למערכת
האויב שבע פעמים ואחר יתקעו להם הכוהנים בחצוצרות המשוב
קול נוח מרודד סמוך כסרך הזה יתקעׄו ה[כׄו]הנים לשלושת הדגלים ועם
הטל הראישון יריעו הׄ[ ]רות קול תרועה
גדולה לנצח מל[ ] להם הכוהנים
בהצוצ[רות]־ו על מעמדם בׄמערכה
]־ ועמד[
]ללים

יחלו ידם להפיל בחללים וכול העם יחשו מקול התרועה והכוהנים יהיו מריעים בחצוצרות החללים לנצח המלחמה̊ עד הנגף האויב והסבו עורפם והכוהנים מריעים לנצח מלחמה ובהנגפם לפניהם יתקעו הכוהנים בחצוצרות המקרא ויצאו אליהם כול אנשי הבינים מתוך מערכות הפנים ועמדו ששה דגלים והדגל המתקרב כולם שבע מערכות שמונה ועשרים אלף אנשי מלחמה והרוכבים ששת אלפים כול אלה ירדופו להשמיד אויב במלחמת אל לכלת עולמים ותקעו להמה הכוהנים בחצוצרות המרדוף ונחל[ ] על כול האויב לרדף כלה והרכב משיבים על ידי המלחמה עד החרם ובנפול החללים יהיו הכ̇[והנ]ים מריעים מרחוק ולוא יבואו אל תוך החללים להתגאל בדם טמאתם כיא קדושים המה [ ]א יחלו שמן משיחת כהונתם בדם גוי הבל

סרך לשנות סדר דגלי המלחמה לערוך המעמד על ר־[ ]ל[ ]־ גליל כפים ומגדלות וקשת ומגדלות ועל דרוך מעט וראשים יוצאים וכנפים̊[ ]־[ ]־ עברי המערכה [ ] מים אויב ומגני המגדלות יהיו ארוכים שלוש אמות ורמחיהם̊ א[ ] ך שמונה אמות והמג[ד]לות יוצאים מן המערכה מאה מגן ומאה פני המגדל כ־[ ]סבו המגדל לשלושת רוחות הפנים מגנים שלוש מאות ושערים שנים למ[ג]דל ־־־ ל[א]חד לשמאול ועל כול מגני המגדלות יכתובו על הראישון מי[ ]ל[ ]שׂריאל על הרביעי רפאל מיכאל וגבריאל ל[ ]

]לאר־־[ ]ורב ישימ[ ]ל[

]ל[

מחנינו ול־־מר מכול ערות דבר רע ואשר הגיד לנו כיא אתה בקרבנו אל גדול ונורא לשול את כול
אויבינו לפ֯[ ] וילמדנו מאז לדורותינו לאמור בקרבכם למלחמה ועמד הכוהן ודבר אל העם
לאמור שׁ֯מ֯עה ישראל אתמה קרבים היום למלחמה על אויביכמה אל תיראו ואל ירך לבבכמה
ואל תח[וא]ל תערוצו מפניהם כיא אלוהיכם הולך עמכם להלחם לכם עם אויביכם להושיע
אתכמה ו[ש]וטרינו ידברו לכול עתודי המלחמה נדיבי לב להחזיק בגבורת אל ולשוב כול
מסי לבב ולחזיק יחד בכול גבורי חיל ואשר ד֯[ ]ה ביד מושה לאמור כיא תבוא מלחמה
בארצכמה על הצר הצורר אתכמה והריעות֯[ ]בחצוצרות ונזכרתמה לפני אלוהיכם
ונושעתם מאויביכם מיא כמוכה אל ישראל בש[מי]ם ובארץ אשר יעשה כמעשיכה הגדולים
וכגבורתכה החזקה ומיא ——— כעמכה ישראל אשר בחרתה לכה מכול עמי הארצות
עם קדושי ברית ומלומדי חוק משכילי בי־[ ] ושומעי קול נכבד ורואי
מלאכי קודש מגולי אוזן ושומעי עמוקו֯ת֯[ ]מפרש שחקים צבא מאורות
ומשא רוחות וממשלת קדושים אוצרות כב[ ]עבים הבורא ארץ וחוקי מפלגיה
ו
למדבר וארץ ערבה וכול צאצאיה עם פר[ ]ה חוג ימים ומקוי נהרות ומבקע תהמות
מעשי חיה ובני כנף תבנית אד֯ם֯ ותול[ ]עו בלת לשון ומפרד עמים מושב משפחות
ונחלת ארצו֯ת֯ [ ]מועדי קודש ותקופות שנים וקצי
עד־[ ]ה אלה ידענו מבינתכה אשר ־־[
]כה אל שועתנו כיא[
]־ל֯[ ]־ ב֯י֯תו הכ־[

כיא אם לכה המלחמה ובכוח ידכה רוטשו פגריהם לאין קובר ואת גולית הגתי איש גבור חיל
הסגרתָּה ביד דויד עבדכה כיא בטח בשמכה הגדול ולוא בחרב וחנית כיא לכה המלחמה ואת
פלשתיים הכנ[ ]־ פעמים רבות בשם קודשכה וגם ביד מלכינו הושעתנו פעמים רבות
בעבור רחמיכה ולוא כמעשינו אשר הרעונו ועלילות פשעינו לכה המלחמה ומאת[כה] הגבורה
ולוא לנו ולוא כוחנו ועצום ידינו עשה חיל כיא בכוחכה ובעוז חילכה הגדול כא[ ] הגדתה
Incomplete and cancelled כ לנו מאז לאמור דרך כוכב מיעקוב קם שבט מישראל ומחץ פאתי מואב ו°קרקר כול בני שית
וירד מיעקוב והאביד שריד [מ]עיר והיה אויב ירשה וישראל עשה חיל וביד משיחיכה
כבד
חוזי תעודות הגדתה לנו ק[ ] מלחמות ידיכה להלחם באויבינו להפיל גדודי בליעל שבעת
גוי הבל ביד אביוני פדותכה [ ]ח ובשלום לגבורת פלא ולב נמס לפתח תקוה ותעש להמה כפרעוה
וכשלישי מרכבותיו בים סו[ף] ונכאי רוח תבעיר כלפיד אש בעמיר אוכלת רשעה לוא תשוב עד
כלות אשמה ומאז השמ־[ ]עד גבורת ידכה בכתיים לאמור ונפל אשור בחרב לוא איש והרב
לוא אדם תואכלנו
כיא ביד אביונים תסגיר [ ]יבי כול הארצות וביד כורעי עפר להשפיל גבורי עמים להשיב גמול
רשעים ב־־שׁ א־[ ]־להצדיק משפט אמתכה בכול בני איש ולעשות לכה שם עולם בעם
] המלחמות ולהתגדל ולהתקדש לעיני ש[ ]ר ה־ ־ים לדעת[
]־ותכה שפטים בגוג ובכול קהלו ־נק[ ]ל[ ]ל[
]כיא תלחם בם מן השמ[
]־ל־ ־ם למהמה[

כיא רוב קדושים [ ]ה בשמים וצבאות מלאכים בזבול קודשכה לה[ ]כ̄ה ובחירי עם קודש
שמתה לכה ב־[ ]פר שמות כול צבאם אתכה במעון קודשכה ומ̄[ ]־ים בזבול כבודכה
וחסדי ברכ־[ ] וברית שלומכה חרתה למו בחרט חיים למלוך [ ]ב̄כול מועדי עולמים
ולפקוד צ־[ ]יריכה לאלפיהם ולרבואותם יחד עם קדושיכה [ ] מלאכיכה לרשות יד
במלחמה [ ]קמי ארץ בריב משפטיכה ועם בחירי שמים נ̄־־[ ]

ואתה אל נ[ ] בכבוד מלכותכה ועדת קדושיכה בתוכנו לעזר עולמי[ם]נו ̄ב̄וז למלכים לעג
וקלס לגבורים כיא קדוש אדוני ומלך הכבוד אתנו עם קדושים גבו̄[ ] צבא מלאכים בפקודינו
וגבור המלח[מה] בעדתנו וצבא רוחיו עם צעדינו ופרשינ[ ]ע̄ננים וכעבי ט̄ל לכסות ארץ
וכזרם רביבים להשקות משפט לכול צאצאיה קומה גבור שבה שביכה איש כבוד ושול
שללכה עושי חיל תן ידכה בעורף אויביכה ורגלכה על במותי חלל מחץ גוים צריכה וחרבכה
כסף
תואכל בשר אשמה מלא ארצכה כבוד ונחלתכה ברכה המון מקנה בחלקותיכה וזהב ואבני
חפץ בהיכל[ו]תיכה ציון שמחי מאדה והופיעי ברנות ירושלים והגלנה כול ערי יהודה פתחי
שע־[ ] תמיד להביא אליך חיל גואים ומלכיהם ישרתוך והשתחוו לך כול מעניך ועפר
] עמי צרחנה בקול רנה עדינה עדי כבוד ורדינה ב̄[ ]ל[
י]שראל למלוך עולמים
]ל[ ]־ם גבורי המלחמה ירושלי̄ם̄[
]ם על השמים אדוני [

ואחיו ה̄[כו]ה̄נים והלויים וכול זקני הסרך עמו וברכו על עומדם את אל ישראל ואת כול מעשי אמתו וז̄ע̄מו
שם א̄ת [ ]על ואת כול רוחי גורלו וענו ואמרו ברוך אל ישראל בכול מחשבת קודשו ומעשי אמתו וב[ ]־כים
כול [ ]־תיו בצדק יודעיו באמונה
וא[רו]ר̄ בליעל במחשבת משטמה וזעום הואה במשרת אשמתו וארורים כול רוחי גורלו במחשבת
רשעם וזעומים המה בכול עבודת נדת טמאתם כיא המה גורל חושך וגורל אל לאור
]ים
ו־[ ]־ אל אבותינו שמכה נברכה לעולמים ואנו עם [ ]ל[ ] וברית [כ]רתה לאבותינו ותקימה לזרעם
למוע[ד]י עולמים ובכול תעודות כבודכה היה זכר [ ]כה בקרבנו לעזר שארית ומחיה לבריתכה
ול־[ ]מעשי אמתכה ומשפטי גבורות פלאכה את־[ ]־יתנו לכה עם עולמים ובגורל אור הפלתנו
לאמתכה ושר מאור מאז פקדתה לעוזרנו וב־[ ]ק וכול רוחי אמת בממשלתו ואתה
עשיתה בליעל לשחת מלאך משטמה ובחו־[ ]תו ובעצתו להרשיע ולהאשים וכול רוחי
גורלו מלאכי חבל בחוקי חושך יתהלכו̄ ואליו [ ]קתמה יחד ואנו ב̄גורל אמתכה נשמ חה ביד
גבורתכה ונשישה בישועתכה ונגילה בעז[ש]לומכה מיא כמוכה בכוח אל ישראל ועם
אביונים יד גבורתכה ומיא מלאך ושר כעזרת פו̄[ ]־ מאז יעדתה לכה יום קרב ר־[ ]־
[ ]ל[ ]־ר באמת ולהשמיד באשמה להשפיל חושך ולהגביר אור ול[
]ל למעמד עולמים לכלות כול בני חושך ושמחה ל[ ] ל[

]א אתה יעדתנו למ־[

כאש עברתו באלילי מצרים
ואחר העלותם מעל החללים לבוא המחנה ירננו כולם את תהלת המשוב ובבוקר יכבסו בגדיהם ורחצו
מדם פגרי האשמה ושבו אל מקום עומדם אשר סדרו שם המערכה לפני נפול חללי האויב וברכו שם
כולם את אל ישראל ורוממו שמו ביחד שמחה וענו ואמרו ברוך אל ישראל השומר חסד לבריתו ותעודות
ישועה לעם פדותו ויקרא כושלים ל[ ]־לא וקהל גויים אסף לכלה אין שארית ולהרים במשפט
לב נמס ולפתוח פה לנאלמים לרנן בגבו־[ ]רפות ללמד מלחמה ונותן לנמוגי ברכים חזוק מעמד
ואמוץ מתנים לשכם מכים ובענוי רוח֯ [ ]ס֯ם לבב קושי ובתמימי דרך יתמו כול גויי רשעה
ולכול גבוריהם אין מעמד ואנו שא[ ] שמכה אל החסדים השומר ברית לאבותינו ועם
כול דורותינו הפלתה חסדיכה לשא־[ ] בממשלת בליעל ובכול רזי שטמתו לוא הדיחו־[ ]
ר
מבריתכה ורוחי [ ]־לו גערתה מ[ ]שי ממשלתו שמתה נפש פדותכה ואתה הקימותה
נופלים בעוזכה ורמי קומ־ תגד[ ] לכול גבוריהם אין מציל ולקליהם אין מנוס ולנכבדיהם
תשיב לבוז וכול יקום הבל־[ ]־ן ואנו עם קודשכה במעשי אמתכה נהללה שמכה
ובגבורותיכה נרוממה ת־[ ] עתים ומועדי תעודות עולמים עם מ[ ]א יומם ולילה
ומוצאי ערב ובוקר כיא גדולה ־[ ]דכה ורזי נפלאותיכה במרומי֯[ ]ל[ ]־ לכה מעפר
ולהשפיל מאלים
רומה רומה אל אלים והנשא בע־[
]ל[ ]ני הושך ואור גודלכה י[
]־ל תוקד לשרפ֯[

ב
כיא היאה עת צרה לישר[אל]דת מלחמה // כול הגויים וגורל אל בפדות עולמים // על
וכלה לכול גוי רשעה וכול ע[ ] המלחמה ילכו וחנו נגד מלך הכתיים ונגד כול חיל
בליעל הנועדים עמו ליום [ ] בחרב אל
ועמד כוהן הראש ואחיו ה־[ ] והלויים וכול אנשי הסרך עמו וקרא באוזניהם
את תפלת מועד המלח̄[ ]פר סרך עתו עם כול דברי הודותם וסדר שם
את כול המערכות ככ־[ ]־ה והתהלך הכוהן החרוץ למועד נקם על פי
כול אחיו וחזק א־[ ]ה וענה ואמר חזקו ואמצו והיו לבני חיל
אל תיראו ואל תח[ ]מה ואל תחפזו ואל תערוצו מפניהם ואל
תשובו אחור ואל [ ] כיא ה̄מה עדת רשעה ובחושך כול מעשיהם
ואליו תשוק[ ]מחסיהם וגבורתם כעשן נמלח וכול קהל
°]מונם[ ]ממה לוא ימצא וכול יקום הוותם מהר ימלו
מועד
]ין בק[ ] התחזקו למלחמת אל כיא /// מלחמה היום הזה /// יום?
]־ל על כול ה̄[ ]ב̄ על כול בשר אל ישראל מרים ידו ב[ ]ת פלאו
]כול רוחי רש[ ]בורי אלים מתאזרים למלחמ[ ] ס̄ד̄ר̄ [ ]ושים
]־דים ליום [ ]ל[ ]ל[ ]ל[
אל־[ ]ל[
להסיר ב־[
באבדונו ח[

Beginnings of lines 11—18 are restored in transcription from fragments 1 and 9, Pl. 47; see also Fig. 27.

עד תום כול מקוד[ ] אל ישראל קרא חרב על כול הגואים ובקדושי עמו יעשה גבורה

את כול הסרך הזה יעשו [ ]הואה על עומדם נגד מחני כתיים ואחר יתקעו להמה הכוהנים בחצוצרות
הזכרון ופתחו שערי המ[ ]צאו אנשי הבינים ועמדו ראשים בין המערכות ותקעו להם הכוהנים
תרועה כדר והראשים[ ]ם לקול החצוצרות עד התיצבם איש על מעמדו ותקעו להם
הכוהנים תרועה שנית [ ]־ב ובעומדם ליד מערכת כתיים כדי הטל ירימו איש ידו בכלי
מלחמתו וששת [ח]צוצרות החללים קול חד טרוד לנצח מלחמה והלוים וכול עם
השופרות יריע[ו]ת[ ]קול גדול ועם צאת הקול יחלו ידם להפיל בחללי כתיים וכול
העם יחשו קול ־.־ ־ ־ [ ]ם יהיו מריעים בחצוצרות החללים והמלחמה מתנצחת בכתיים

ובהתאזר [ ] לעזרת בני חושך וחללי הבינים יחלו לנפול ברזי אל ולבחון בם כול חרוצי המלחמה
והכ[ו]הנים ית־[ ] ח[צוצ]רות המקרא לצאת מערכה אחרת חליפה למלחמה ועמדו בין המערכות
ולמתקרב־[ ]ל־ ־ ־ יתקעו לשוב ונגש כוהן הרואש ועמד לפני המערכה וחזק את
לבבם ב[ ]־יהם במלחמתו
וענה ואמר [ ]ל[]ב עמו יבחן ב־ ־ ־ ־ לוא [ ]־לליכם כיא מאז שמעתם
ברזי אל [ ]הם ליחד־[
כג־ ־[ ]ל [

ושם שלומם בדלק[ ] בחוני מצרף ושנן כלי מלחמתה ולוא יכהו עד[
רשע ואתמה זכורו משפ־[ ]הוא בני אהרון אשר התקדש אל במשפטם לעיני [
ואיתמר החזיק לו לברית [ע]ולמים
ואתם התחזקו ואל תיראום [ ] המה לתהו ולבהו תשוקתם ומשענתם כלוא ה[ ]־וא[
ישראל כול הווה ונהיה ו[ ]ל בכול נהיי עולמים היום מועדו להכניע ולהשפיל שר ממשלת
רשעה וישלה עזר עו֯ל֯מ֯ים לגו֯רל [ ]ד֯ותו בגבורת מלאך האדיר למשרת מיכאל באור עולמים
להאיר בשמחה ב֯[י]שראל שלו֯ם וברכה לגורל אל להרים באלים משרת מיכאל וממשלת
ישראל בכול בשר ישמח צדק [ ]מרומים וכול בני אמתו יגילו בדעת עולמים ואתם בני בריתו
התחזקו במצרף אל עד יניף י֯דו֯ [ ]מ֯לא מצרפיו רזיו למעמדכם
הכוהנים
ואחר הדברים האלה יתקעו להם לסדר דגלי המערכה והראשים נפשטים לקול החצוצרות
עד התיצ[ ]ש על מעמד[ ]־ת֯קעו הכוהנים בהצוצרות תרועה שנית יידי התקרב ובהגיע
אנשי [ ]ר֯כת כתי[ ] כ֯די הטל ירימו איש ידו בכלי מלחמתו והכוהנים יריעו בהצוצרות
החללי֯ם [ ]ל עם השופרות יריעו תרועת מלחמה ואנשי הבינים ישלחו ידם בחיל
הכתיים [ ]ל֯[ ]ועה יחלו להפיל בחלליהם וכול העם יניח֯[ו] קול התרועה והכוהנים
יהיו מריעים ־ [ ]־ ־ ל[ ]ה ־[ ]־ ־ ־ [ ]ל[נ]גפים לפניהם
ובגורל השל[ ]־ל חללים
]־אל־[ ]ל

]־בה[נ]שא יד אל הגדולה על בליעל ועל כול ־[ ]ל ממשלתו במגפת עולמים
] ותרועת קדושים ברדף אשור ונפלו בני יפת לאין קום וכתיים יכתו לאין
]־ משאת יד אל ישראל על כול המון בליעל בעת ההיאה יריעו הכוהנים
]ות הזכרון ונאספו אליהם כול מערכות המלחמה ונחלקו על כול מ[ ]יים
להחרימם [ ]אוץ השמש לבוא ביום ההואה יעמוד כוהן הרואש והכוהנים וה[ ] אשר
אתו ורא[ ] הסרך וברכו שם את אל ישראל וענו ואמרו ברוך שמכה אל [ ]־ם כיא
הגדלת[ ] להפליא ובריתכה שמרתה לנו מאז ושערי ישועות פתחתה לנו פעמים רבות
למע[ ]־כה בנו ואתה אל ה[צ]דק עשיתה ל[ ] שמכה

Read כיא אתה °כא
]פלא ומאז לוא נהיתה כמוהה ואתה ידעתה למועדנו והיום הופיע
ל־[ ]ה עמנו בפדות עולמים להסיר מ־[ ]ל[ ]־ויב לאין עוד ויד גבורתכה
ובמ[ ]ל אויבינו למגפה כלה ועתה היום אץ לנו לרדוף המונם כיא אתה
]לב גבורים מגנתה לאין מעמד לכה הגבורה ובידכה המלחמה ואין
]־יכה ומועדים לרצונכה וג־ל [ ]־כה ותבצור ממ־[
]ל[

Restored from fragment 2, Pl. 47

ג]בורים כיא̄° קדוש אדירנו ומלך הכבוד אתנו וצ[
]ל ל°[כ]סות ארץ וכזרם רביבים להשקות משׂפט לכ̄[
]ל שללכה עושי חיל תן ידכה בעורף אויביך ו̄ר̄ג̄[ל]ך̄[
]- והרבך תואכל בשר מלא ארצכה כבוד ונחלתכה ברכה ה[
]-היכלותיך ציון שמחי מואדה והגלנה כול ערי יהו[
]חיל גוים ומלכיהם ישרתוך והשתחוו לך[
]-־[ ]מי הבענה בקול רנה ע̄דיגה עדי כבוד ו־[
]-כה וישראל למלכות [ע]ו̄למים [
]ל[י]לה ההוא למנוח עד הבוקר ובבוקר̄ [
]-זרי כתיים והמון אשור וחיל כול הגוים -[
] נ̄פלו שם בחרב אל ונגש שם כוהן הרו̄[
]מ̄לחמה וכול ראשי -מערכות ופקוד̄[
]ל[ ]ללי כת־̄[ ]ללו שם [ ]- אל[

---[
---[ ]־[
עולם א־[ ]-------ם[
בם ומש[ ]־ם כיא[ ]־ ומקה ־מ־[
ומעין הגב[ ]גדול העצה[ ]אין מספר וקנאתכ[ה]
לפני ח־־מ־[ ]וארוך אפים במשפ[ט]צדקתה בכל מעשיכה
ובחכמתכ[ה] ה[ ]עולם ובטרם בראתם ידעתה כול מעשיהם
לעולמי עד[ ]יעשה כול ולוא יודע בלוא רצונכה אתה יצרתה
כול רוח ו־ ע־[ ]ומשפט לכול מעשיהם ואתה נטיתה שמים
לכבודכה כול[ ]תה לרצונכה ורוחות עוז לחוקיהם בטרם
היותם למלאכי ־[ ]לרוחות עולם בממשלותם מאורות לרזיהם
כוכבים לנתיבות[ם]למשאם זקים וברקים לעבודתם ואוצרות
מחשבת לחפציה[ם]לרזיהם אתה בראתה ארץ בכוחכה°
ימים ותהומות ־[ ]ביהם הכינותה בחוכמתכה וכל אשר בם
תכ־תה לרצונכ[ה]לרוח אדם אשר יצרת בתבל לכל ימי עולם
ודורות נצח למ[ ]בקציהם פלגתה עבודתם בכול דוריהם ומש[ ]ט
במועדיה לממש[ ]־־יהם ־־־־־־ לדור ודור ופקודת שלומם עם
עם כול נגיעיהם[ ]ה ותפלג לכול צאצאיהם למספר דורות עולם
ולכול שני נצח ־[ ]ה ובחכמת דעתכה הכ[י]נותה תע[ו]דתם בטרם
היותם ועל פי ־[ ]יה כול ומבלעדיך לא יעשה
אלה ידעתי מבינתכה כיא גליתה אוזני לרזי פלא ואני יצר החמר ומגבל המים
סוד הערוה ומקור הנדה כור העוון ומבנה החטאה רוח התועה ונעוה בלא
בינה ונבעתה במשפטי צדק מה אדבר בלא נודע ואשמיעה בלא סופר הכול
חקוק לפניכה בחרת זכרון לכול קצי נצח ותקופות מספר שני עולם בכול מועדיהם
ולוא נסתרו ולא נעדרו מלפניכה ומה יספר אנוש חטאתו ומה יוכיח על עוונותיו
ומה ישיב על כול משפט הצדק לכה אתה אל° הדעות כול מעשי הצדקה
וסוד האמת ולבני האדם עבודת העוון ומעשי הרמיה אתה בראתה
רוח בלשון ותדע דבריה ותכן פרי שפתים בטרם היותם ותשם דברים על קו
ומבע רוח שפתים במדה ותוצא קוים לרזיהם ומבעי רוחות לחשבונם להודיע
כבודכה ולספר נפלאותיכה בכול מעשי אמתכה ו־[ ]־־[צ]דקכה ולהלל שמכה
בפה כול וידעוכה לפי שכלם וברכוכה לעולמי[ ] ואתה ברחמיכה
וגדול חסדיכה חזקתה רוח אנוש לפני נגע ־[ ]טה־־־ מרוב עוון
לספר נפלאותיכה לנגד כול מעשיכה ־־[ ]־־־ משפטי נגיעי
ולבני אנוש כול נפלאותיכה אשר הגברתה[ ]־־־ שמעו
חכמים ושחי דעת ־נמהרים והיו ליצר סמוך[ ]הוסיפו ערמה
צדיקים השביתו עולה וכול תמימי דרך החזיק[ו]א עני האריכו
אפים ואל תמאסו בכ־־־[ ]ילי לב לא יבינו
אלה ־־־ד אמ[
]יצים יחרו־־[

בכוחכה written on erasure, ה traced over cancelled ת

אל in ancient Hebrew script

] דו [
] עזי ־ע־[
] כול מעשי עול ־ ־[
צדק
]־שם [ ]חי אמת בכל ח[
] מחץ מ־ ־[ ]ומשמיעי שמחה לאבל יג[
]לים לכול הוות שמוע°[ ] חזקים למוס לבבי ומאמצי [
שמוע missing on plate, see Fig. 28
לפני [ ]ע ותתן מענה לשון לע[ ] שפתי ותסמוך נפשי בחזוק מותנים
ואמוץ כוח ותעמד פעמי בגבול רשעה ואהיה פח לפושעים ומרפא לכול
שבי פשע ערמה לפתיים ויצר סמוך לכול נמהרי לב ותשימני חרפה
וקלס לבוגדים סוד אמת ובינה לישרי דרך ואהיה על עון רשעים
דבה בשפת עריצים לצים יחרוקו שנים ואני הייתי נגינה לפושעים
ועלי קהלת רשעים תתרגש ויהמו כנחשולי ימים בהרגש גליהם רפש
וטיט יגרישו ותשימני נס לבחירי צדק ומליץ דעת ברזי פלא לבחון
] אמת ולנסות אוהבי מוסר ואהיה איש ריב למליצי תעות־ ־ ־
]ם לכול חוזי נכוחות ואהיה לרוח קנאה לנגד כל דורשי חל[
] אנשי רמיה עלי יהמו כקול המון מים רבים ומזמות בליעל [
מח]שבותם ויהפוכו לשוחה חיי גבר אשר הכינותה בפי ותלמד/ו בינה
/ נ
שמתה בלבבו לפתוח מקור דעת לכול מבינים וימירום בערול שפה
ולשון אחרת לעם לא בינות להלבט במשגתם
אודכה אדוני כי שמתה נפשי בצרור החיים
ותשוך בעדי מכול מוקשי שחת [ ] עריצים בקשו נפשי בתומכי
בבריתךה והמה סוד שוא ועדת בליעל לא ידעו כיא מאתכה מעמדי
ובחסדיכה תושיע נפשי כיא מאתכה מצעדי והמה מאתכה° גרו
אתכה by another hand
על נפשי בעבור הכבדכה במשפט רשעים והגבירכה בי נגד בני
אדם כיא בחסדכה עמדי ואני אמרתי חנו עלי גבורים סבבום בכל
כלי מלחמותם ויפרו חצים לאין מרפא ולהוב חנית באש אוכלת עצים
וכהמון מים רבים שאון קולם נפץ זרם להשחית רבים למזורות יבקעו
אפעה ושוא בהתרומם גליהם ואני במוס לבי כמים ותחזק נפשי בבריתך
והם רשת פרשו לי תלכוד רגלם ופחים טמנו לנפשי נפלו בם ורגלי עמדה במישור°
עמדה במישור by another hand
מקהלם אברכה שמכה
אודכה אדוני כיא עינכה ע־[ ] על נפשי ותצילני מקנאת מליצי כזב
ומעדת דורשי חלקות פדית[ה] נפש אביון אשר חשבו להתם דמו
לשפוך על עבודתכה אפס כי [יד]עו כי מאתך מצעדי וישימוני לבוז
וחרפה בפי כל דורשי רמיה ואתה אלי° עזרתה נפש עני ורש
אלי in ancient Hebrew script
מיד חזק ממנו ותפד נפשי מיד אדירים ובגדפותם לא החתיתני
לעזוב עבודתכה מפחד הוות ר־ ־ ־ם ולהמיר בהולל יצר סמוך אשר
ה[ ]מו חוקים ובתעודות נתנו לאזנים
]־חת לכול צאצאי[הם]
] בלמודיכה ד־[

] ובי [
] הֿבֿ ־ לו ־ ־ ־ ־ ־ [
פני
]לי האירותה ־ ־ ־ ־ ־ [
] לכה בכבוד עולם עם כוֿלֿ [
]־ פיכה ותצו לנו מ[ ]ומ[
] עתה נפשֿ[ ]־ יחשיבוני וישימו נפש באוניה ב[מ]צֿוֿלות ־ ־
וכעיר מבצר מלפ־[ ]אהיה בצוקה כמו אשת לדה מבכריה כיא נהפכו ציר־ ־
והבל נמרץ על משבריה להחיל בכור הריה כיא באו בנים עד משברי מות
והרית גבר הצרה בחבליה כיא במשברי מות תמליט זכר ובחבלי שאול יגיח
מכור הריה פלא יועץ עם גבורתו ויפלט גבר ממשברים בהריתו החישו כול
משברים וחבלי מרץ במולדיהם ופלצות להורותם ובמולדיו יהפכו כול צירים
בכור הריה והרית אפעה לחבל נמרץ ומשברי שחת לכול מעשי פלצות וירועו
אושי קיר כאוניה על פני מים ויהמו שחקים בקול המון ויוֿשבי עפר
כן
כיורדי ימים נבעתים מהמון מים וחכמיה למו כמלחים במצולות כי תתבלע
כול חכמתם בהמות ימים ברתוח תהומות על נבוכי מים ־ ־ ־ ־ שו לרום גלים
ומשברי מים בהמון קולם ובהתרגשם יפתחו ש[ ]לֿ[ ]־[ ]ל חצי שחת
עם מצעדם לתהום ישמיעו קולם ויפתחו שערי [ ] מעשי אפעה
ויסגרו דלתי שחת בעד הרית עול ובריחי עולם בעד כול רוחי אפעה
אודכה אדוני כי פדיתה נפשי משחת ומשאול אבדון
העליתני לרום עולם ואתהלכה במישור לאין חקר ואדעה כיא יש מקוה לאשר
יצרתה מעפר לסוד עולם ורוח נעוה טהרתה מפשע רב להתיצב במעמד עם
צבא קדושים ולבוא ביחֿדֿ עם עדת בני שמים ותפל לאיש גורל עולם עם רוחות
דעת להלל שמכה ביחד ר־ה ולספר נפלאותיכה לנגד כול מעשיכה ואני יצר
החמר מה אני מגבל במים ולֿמי נחשבתי ומה כוח לי כיא התיצבתי בגבול רשעה
ועם חלכאים בגורל ותגור נפש אביון עם מהומות רבה והוות מדהבה עם מצעדי
בהפתח כל פחי שחת ויפרשו כול מצודות רשעה ומכמרת חלכאים על פני מים
בהתעופף כול חצי שחת לאין השב ויפֿרו לאין תקוה בנפול קו על משפט וגורל אף
על נעזבים ומתך חמה על נעלמים וקץ חרון לכול בליעל וחבלי מות אפפו לאין פלט
על
וילכו נחלי בליעל כול אגפי רום כֿאש אוכלת בכול שנאביהם להתם כול עץ לח
ויבש מפלגיהם ותשוט בשביבי להוב עד אפס כול שותיהם באושי חמר תאוכל
וברקוע יבשה יסודי הרים לשרפה ושורשי חלמיש לנחלי זפת ותאוכל עד תהום
פ
רבה ויבקעו לאבדון נחלי בליעל ויהמו מחשבי תהום בהמון גורשי רש וארץ
תצרח על ההווה הנהֿיה בתבל וכול מחשביה ירועו ויתהוללו כול אשר עליה
ויתמוגגו בהווה ג[דו]לה כיא ירעם אל בהמון כוחו ויהם זבול קודשו באמת
ב
כבודו וצבא השמים יתנו קולם [ו]יתמוגגו וירעדו אושי עולם ומלחמת גבורי
˚
שמים תשוט בתבל ולא תשוב עד כלה ונחרצה לעד ואפס כמוה
אודכה אדוני כיא הייתה לי לחֿומת עוז
]ל משחיתים וכול [ ]־ ־ תסתירני מהוות מֿהֿוֿמֿה א ־ ־ ד ־ ־ ־
]לֿ[ ]ל בל יבוא ־ ־ ־ ב[

Letters ...וב ע... missing on plate, see Fig. 29

]ם פ̄א̄יר̄ - - ה - - [
]- - - - מ̄ו - - - - ז מ - - [
]על סלע רגלי - - - - ב̄ע̄מ - - [
ב
] דרך עולם ונתיבות אשר בחרתה מ - - - [
א
אודכה אדוני כי האירותה פני לבריתכה ומ[
] אדורשכה וכשחר נכון לאו[רתו]ם̄ הופעתה לי והמה עמכה [
- - [ ]רים החליקו למו ומליצי רמיה - - - ־ם וילבטו בלא בינה כיא̄[
א
בהולל מעשיהם כי נמאסו למו ולא יחשבוני בהגבירכה בי כי ידיחני מארצי
כצפור מקנה וכול רעי ומודעי נדחו ממני ויחשבוני לכלי אובד והמה מליצי
כזב וחוזי רמיה זממו עלי // בליעל להמיר תורתכה אשר שננתה בלבבי בחלקות //בנ
לעמכה ויעצורו משקה דעת מצמאים ולצמאם ישקום חומץ למע הבט אל
מ
תעותם להתהולל במועדיה להתפש במצודותם כי אתה אל תנאץ כל מחשבת
בליעל ועצתכה היא תקום ומחשבת לבכה תכון לנצח והמה נעלמים זמות בליעל
יחשובו וידרשוכה בלב ולב ולא נכונו באמתכה שורש פורה רוש ולענה במחשבותם
ועם שרירות לבם יתורו וידרשוכה בגלולים ומכשול עוונם שמו לנגד פניהם ויבאו
לדורשכה מפי נביאי כזב מפותי תעות והם [ב]ל[וע]ג שפה ולשון אחרת ידברו לעמך
להולל ברמיה כול מעשיהם כי לא [ ]כה ולא האזינו לדברכה כי אמרו
לחזון דעת לא נכון ולדרך לבכה לא היאה כי אתה אל תענה להם לשופטם
בגבורתכה [כ]גלוליהם וכרוב פשעיהם למען יתפשו במחשבותם אשר נזורו מבריתכה
ותכרת במ[שפ]ט כול אנשי מרמה וחוזי תעות לא ימצאו עוד כי אין הולל בכול מעשיך
ולא רמיה [ב]מזמת לבכה ואשר כנפשכה יעמודו לפניכה לעד והולכי בדרך לבכה
יכונו לנצח [וא]ני בתומכי בכה אתעודדה ואקומה על מנאצי וידי על כול בוזי כיא
לא יחשבו־[ ]ד הגבירכה בי ותופע לי בכוחכה לאורתום ולא טחתה בבושת פני
יחד
כול הנדרש̄[ים] לי הנועדים לבריתכה וישומעוני ההולכים בדרך לבכה ויערוכו לכה
בסוד קדושים ותוצא לנצח משפטם ולמישרים אמת ולא תתעם ביד הלכאים
כזומם למו ותתן מוראם על עמכה ומפץ לכול עמי הארצות להכרית במשפט כול
עוברי פיכה ובי האירותה פני רבים ותגבר עד לאין מספר כי הודעתני ברזי
פלאכה ובסוד פלאכה הגברתה עמדי והפלא לנגד רבים בעבור כבודכה ולהודיע
לכול החיים גבורותיכה מי בשר כזאת ומה יצר חמר להגדיל פלאות והוא בעוון
ו ו
מרחם ועד שבה באשמת מעל ואני ידעתי כי לא לאנוש צדקה ולא לבן אדם תום
ו
דרך לאל עליון כול מעשי צדקה ודרך אנוש לא תכון כי אם ברוח יצר אל לו
להתם דרך לבני אדם למען ידעו כול מעשיו בכוח גבורתו ורוב רחמיו על כול בני
גרמי
רצונו ואני ר̄ע̄ד ור̄ת̄ת אחזוני וכול ירועו וימס לבבי כדונג מ/פני אש וילכו ברכי / ל
כמים מוגרים ב̄מורד כי זכרתי אשמותי עם מעל אבותי בקום רשעים על בריתך
כ
והלכאים על ־ברכה ואני אמרתי בפשעי נעזבתי מבריתכה ובזוכרי כוח ידכה עם
המון רחמיכ̄ה̄ התעודדתי ואקומה ורוחי החזיקה במעמד לפני נגע כי נשענ[תי]
בחסדיכה וה̄מון רחמיכה כי תכפר עוון ולט־[ ] - - ־ש מאשמה בצדקתכה
ולא לאדם [ ]- - ע̄שיתה כי אתה בראתה צדיק ורשע [
] - - אתחזקה בבריתכה עד [
]יכה כי אמת אתה וצדק כול ־[

ליום עם חד־־ [
סליחותיכה והמוֹן [
ובדעתי אלה נחמ[ ]־־ [
על פי רצונכה ובי[ד]כה מ̄שפט כולם [
אודכה אדוני כי לא עזבתני בגורי בעם ־־־ [ ]כ̄אשמתי
שפטתני ולא עזבתני בזמות יצרי ותעזור משחת חיי ותת̄̄ן [ ]־־ בתוך
לביאים מועדים לבני אשמה אריות שוברי עצם אדירים ושותי ד[ם] גבורים ותשמ̄נ̄י
במגור עם דיגים רבים פורשי מכמרת על פני מים וצידים לבני עולה ושם למשפט
יסדתני וסוד אמת אמצתה בלבבי ומיה ברית לדורשיה ותסגור פי כפירים אשר
כחרב שניהם ומתלעותם כחנית חדה חמת תנינים כול מזמותם לחתוף וירבו ולא
פצו עלי פיהם כי אתה אלי סתרתני נגד בני אדם ותורתכה חבתה ־[ ]ד̄ קץ
הגלות ישעכה לי כי בצרת נפשי לא עזבתני ושועתי שמעתה במרורי נפשי
ודנת יגוני הכרתה באנחתי ותצל נפש עני במעון אריות אשר שננו כחרב לשונם
ואתה אלי סגרתה בעד שניהם° פן יטרפו נפש/ עני ורש ותוסף לשונם / י Originally לשונם corrected to שניהם
בי
כחרב אל תערה בלי [ ]תה נפש עבדכה ולמען הגבירכה לנגד בני אדם הפלתה
באביון ותביאהו במצ־[ ]־ב במעשי אש וככסף מזוקק בכור נופחים לטהר שבעתים
וימהרו עלי רשעי ע̄זים במצוקותם וכול היום ידכאו נפשי
ואתה אלי תשיב נפשי סערה לדממה ונפש אביון פלטתה כ[ ]־טרף מכה
אריות
ברוך אתה
אודכה אדוני כי לא עזבתה יתום ולא בזיתה רש כי גבורתכה [ ] וכבודכה
לאין מדה וגבורי פלא משרית̊יכה ועם ענוים בטאטאיי רגלי [ ] עם נמהרי Erased י ?
צדק להעלות משאון יחד כול /// אביוני חסד ואני הייתי על ע[ ]דני לריב /// נמה
ומדנים לרעי קנאה ואף לבאי בריתי ורגן ותלונה לכול נועדי ו[ ]כלי לחמי
עלי הגדילו עקב ויליזו עלי בשפת עול כול נצמדי סודי ואנשי [ ]ת̄י סוררים
ומלינים סביב וברז חבתה בי ילכו רכיל לבני הוות ובעב̄ו̄ר ה̄ג̄ד̄[ ]כי ולמען
אשמתם סתרת מעין בינה וסוד אמת והמה הוות לבם יחשובו־[ב]ליעל פתחו
לשון שקר כחמת תנינים פורחת לקצים וכזוחל עפר יורו לחד־ [ ] פתנים
לאין חבר ותהי לכאיב אנוש ונגע נמאר בתכמי עבדכה להכשי̄ל [ ] ולהתם
כוח לבלתי החזק מעמד וישיגוני במצרים לאין מנוס ולא בהב[ ]פ̄חות ויהמ̄ו
בכנור ריבי ובנגינות יחד תלונתם עם שאה ומשואה זלעופות [ ] וחבלים כצירי
יולדה ויהם עלי לבי קדרות לבשתי ולשוני לחך תדבק ־־נב־־ [ ] לבם ויצרם
הופיע לי למרורים ויחשך מאור פני לאפלה והודי נהפך למשחו̄ר̄ ואת אלי
מרחב פתחתה בלבבי ויוספוה לצוקה וישוכו בעדי בצלמות ואוכלה בלח̄ם אנחה
ושקוי בדמעות אין כלה כי עששו מכעס עיני ונפשי במרורי יום תח־[ ] ויגו̄ן
יסובבוני ובושת על פנים ויהפך לי ל־־י לריב ושקוי לבעל מדנים ויבוא בעצ־־
להכשיל רוח ולכלות כוח כרזי פשע משנים מעשי אל באשמתם כי נאס̄ר̄־־ בעבות̄י̄ם
לא̄ין נתק וזקים ללוא ישוברו וחומת עו[ ] בריחי ברזל ודלתו[
]לאי עם תהום נחשב/ לאין [
]לעל אפפו נפשי ל[

------ [
לבי בנאצ־ ־ ־[
והווה לאין חקר כלה לאין [
גליתה אוזני [ ]ס־ מוכיחי צדק עם [
מעדת [ ]א ומסוד חמס ותביאני בעצת [ ]־אשמה
ואדעה כי יש מקוה לשבי פשע ועוזבי חטאה בה[ ]־התהלך
בדרך לבכה לאין עול ואנחמה על המון עם ועל שאון ממ[ ]כות בהאספם [ ]עתי אשר
תרים למצער מחיה בעמכה ושארית בנחלתכה ותזקקם להטהר מאשמה כיא כול
מעשיהם באמתכה ובחסדיך תשפטם בהמון רחמים ורוב סליחה וכפיכה להורותם
וכישיר אמתכה להכינם בעצתכה לכבודכה ולמענכה עשי[תה] ל ־ ־ ל תורה ו[ ]ל־ ־
אנשי עצתכה בתוך בני אדם לספר לדורות עולם נפלאותיכה ובגבורות[יכה]־החו
לאין השבת וידעו כול גוים אמתכה וכול לאומים כבודכה כי הביאותה [ ]־ודכה
לכול אנשי עצתכה ובגורל יחד עם מלאכי פנים ואין מליץ בנים לק[ ]שיב
כרו־ כי ־[ ]ל[ ]תד־ בה והם ישובו בפי כבודכה ויהיו שריכה בגור[
פרח כצ־[ ]ד עולם לגדל נצר לעופי מטעת עולם ויצל צל על כול ־ ־[(ע traced over erased מ)
עד ש־ ־ ־[ ]שרשיו עד תהום וכול נהרות עדן [ ]ל[ ]ותיו והיה ל־[
חקר ־ ־ ־ ־ ־ ־ ־ על תבל לאין אפס ועד שאול [ ]היה מעין אור למקור
עולם לאין הסר בשביבי נוגהו יבערו כול ב־[ ]לאש בוערת בכול אנשי
אשמה עד כלה והמה נצמדי תעודתי פותו במ־[ ]־ ־ בעבודת צדק
ואתה אל צויתם להועיל מדרכיהם בדרך ק־[ ] בה וערל וטמא ופריץ
בל יעוברנה ויתמוטטו מדרך לבכה ובהווה [ ] יכמוא ויעץ בליעל
עם לבבם [ ] ־ ־ מחשבת רשעה יתגוללו באשמה[ ]תי כמלה באוניה בזעף
ימים גליהם וכול משבריהם עלי המו רוח עועיים[ ]דממה להשיב נפש ואין
נתיבת לישר דרך על פני מים ויהם תהום לאנחתי ו־[ ] עד שערי מות ואהיה
כבא בעיר מצור ונעוז בחומה נ/שגבה עד פלט ואש [ ]אמתכה אלי כי אתה ס /
תשים סוד על סלע וכפים על קו משפט ומשקלת א[ ]ל[ ]־ות אבני בחן לב־י ־[
עוז ללוא תתזעזע וכול באיה בל ימוטו כי לא יבוא זר־[ ]־יה דלתי מגן לאין
מבוא ובריחי עוז ללוא ישוברו בל יבוא גדוד בכלי מלחמתו עם תום כול ח[
מלחמות רשעה ואז תחיש חרב אל בקץ משפט וכול בני א[מ]תו יעורו ל־ ־ ־ [
רשעה וכול בני אשמה לא יהיו עוד וידרוך גבור קשתו ויפתח מצור [
למרחב אין קץ ושערי עולם להוציא כלי מלחמות ויעצו[ ]ו מקצה עד ־ ־ ־
־ ־ ־ ־ ־ ־ ־ ־ ־ ־לט ליצר אשמה לכלה ירמוסו ואין ש־ ־[ ] תקוה ברוב ־ ־ ־ ־
ולכול גבורי מלחמות אין מנוס כי לאל עליון ה[ ]־ ־ ־ר ־ ־ ־ ־ ־
ושוכבי עפר הרימו תרן ותולעת מתים נשאו נס לח־[ ] כרתו ־ ־ ־ ־
במלחמות זדים ומעביר שוט שוטף בל יבוא במבצר [
־ ־ ־ ־ [ ]ל[ ]לתפל וככפים לא[

] אני נאלמתי ־[ ] ־־־ץ אלה ----
]ע נשברת מקניה ותטבע בבבץ רגלי שעו עיני מראות
רע אוזני משמוע דמים השם לבבי ממחשבת רוע כי בליעל עם הופע יצר
היותם וירועו כול אושי מבניתי ועצמי יתפרדו ותכמי עלו כאוניה בזעף
חרישית ויהם לבי לכלה ורוח עועיים תבלעני מהוות פשעם
אודכה אדוני כי סמכתני בעוזכה ורוח
קודשכה הניפותה בי בל אמוט ותחזקני לפני מלחמות רשעה ובכול הוותם
ל[א] החתתה מבריתכה ותשימני כמגדל עוז כחומה נשגבה ותכן על סלע
ז
מבניתי ואושי עולם לסודי וכול קירותי לחומת בחן ללוא תד/עזע /ז
[ו]אתה אלי נתתו לעפים לעצת קודש ות[ ]־ בריתכה ולשוני כלמודיך
ואין פה לרוח הוות ולא מענה לשון לכול [ב]ני אשמה כי תאלמנה שפתי
שפתי שקר כי כול גרי למשפט תרשיע [ל]הבדיל בי בין צדיק לרשע
כי אתה ידעתה כול יצר מעשה וכול מענה לשון הכרתה ותכן לבי
]מודיכה ובאמתכה לישר פעמי לנתיבות צדקה להתהלך לפניך בגבול
]ם לשביל כבוד ///// ושלום לאין ־[ ] להשבת לנצח ///// וחיים
ואתה ידעתה יצר עבדכה כי לא־[ ] ־־ ענתי להרים ל[
[ו]להעיז בכוח ומחסי בשר אין לי [ ] אין צדקות להנצל מפ[
]וא סליחה ואני נשענתי ב־[ ] חסדכה אוחיל להציץ
־־שע ולגדל נצר להעיז בכוח ו־[ ]צדקתכה העמדתני
לבריתכה ואתמוכה באמתכה ואת[ ] ותשימני אב לבני חסד
וכאומן לאנשי מופת ויפצו פה כיונ[ ]וכשעשע עולול בחק
אומניו ותרם קרני על כול מנאצי ויתפ[ ]ארות אנשי מלחמתי ובעלי
רבי כמוץ לפני רוח וממשלתי על ב־־ ־[ ]לי עזרתה נפשי ותרם קרני
למעלה והופעתי בא ־־ שבעתים ב־[ ] ־נותה לכבודכה
כי אתה לי למאור [עו]לם ותכן רגלי ב־־[ ]
או[דכה אדוני] כי השכלתני באמתכה
וברזי פלאכה הודעתני ובחסדיכה לאיש [ ] ברוב רחמיכה לנעוי לב
מי כמוכה באלים אדוני ומי כאמתכה ומי יצ[ד]ק לפניכה בהשפטו ואין
צב־
להשיב על תוכחתכה כול רוח ולא יוכל כול להתיצב לפני ח/מתכה וכול בני
תביא
אמתכה בסליחות לפניכה ־־־רם מפשעיהם ברוב טובכה ובהמון ר[ח]מיכה
להעמידם לפניכה לעולמי עד כי אל עולם אתה וכול דרכיכה יכונו לנצח
־צח־־ ואין זולתכה ומה הוא איש תהו ובעל הבל להתבונן במעשי פלאך
־־־־־ל־ם
הפלתה ע
[אודכ]ה אדוני כי לוא גורלי בדת שו ובסוד נעלמים לא שמתה חוקי
־־־־אני לחסדיכה ולסליח[ ] ובהמון רחמיכה לכול משפטי
] שר[ ] עולה ובחיק

]- - -[
] צדקתכה תכון לעד כי לא [
]תה
או[דכה אדוני כי נ]תתני במקור נוזלים ביבשה ומבוע מים בארץ ציה ו[מ]שקי
גן [ ] - -ה מטע ברוש ותדהר עם תאשור יחד לכבודכה עצי
חיים במעין רז מחובאים בתוך כול עצי מים והיו להפריח נצר למטעת עולם
להשריש טרם יפריחו ושורשיהם ליוב[ל] ישלחו ויפתח למים חיים וגזעו
ויהי למקור עולם ובנצר עליו ירעו כול [ ]- יער ומרמס גיזעו לכול עוברי
דרך ודליתו לכל עוף כנף וירמו עליו כול ע[ ] מים כי במטעתם יתשגשגו
ואל יובל לא ישלחו שורש ומפריח נצר ק[ו]דש למטעת אמת סותר בלוא
נחשב ובלא נודע חותם רזו ואת[ ]ל שכתה בעד פריו ברז גבורי כוח
ורוחות קודש ולהט אש מתהפכת בל י[ ]מעין חיים ועם עצי עולם
לא ישתה מי קודש בל ינובב פריו עם [ ]ע שחקים כי ראה בלא הכיר
ויחשוב בלא האמין למקור חיים ויתן י[ ]-ה עולם ואני הייתי ל-זאי/הרות
שוטפים כי גרשו עלי רפשם
ואתה אלי שמתה בפי כיורה גשם לכול [ ] ומבוע מים חיים ולא יכזב לפתוח
הש-ים לא ימישו ויהיו לנחל שוטף ע[ ] מים ולימים לאין ח-
פיתאום יביעו מחובאים בסתר [ ]-ויהיו ל - - - - [
לה-[ ]יבש מצולה לכול חיה וע[ ]עופרת במים אדירי[ם
- - - - - אש ובשו ומטע פרי [ ]-ר עולם לעדן כבוד ופר-[
ובידי פתחתה מקורם עם פלגי[ ]ם לפנות על קו נכון ומטע
עציהם על משקלת השמש לא[ ]נו לפארת כבוד בהניפי יד לעזוק
פלגיו יכו שרשיו בצור חלמיש ו[ ]- בארץ גזעם ובעת חום יעצור
מעוז ואם אשיב יד יהיה כער-[ ] גזעו כחרלים במלחה ופלגיו
יעל קוץ ודרדר לשמיר ושית -[ ] שפתו יהפכו כעצי באושים לפני
חום יבול עליו ולא נפתח עם מ-[ ] מגור עם חוליים ומ[ ]ע ל-
בנגיעים ואהיה כאיש נעזב ב-[ ]-- אין מעוז לי כי פ-ח נ-[ ]עי
למרורים וכאיב אנוש לאין עצור [ ]מה עלי כיורדי שאול ועם
מתים יחפש רוחי כי הגיעו לשחת ח[ ] תתעטף נפשי יומם ולילה
לאין מנוח ויפרח כאש בוער עצור ב-[ ] עד ימימה תואכל שלבתה
להתם כוח לקצים ולכלות בשר עד מועדים ויתעופפו --- משברים
ונפשי עלי תשתוחח לכלה כי נשבת מעוזי מגויתי ויינגר כמים לבי וימס
כדונג בשרי ומעוז מותני היה לבהלה ותשבר זרועי מקניה [ ]ן להניף יד
]לי בלכדה בכבל וילכו כמים ברכי ואין לשלוח פעם ולא מצעד לקול רגלי
- - - - --ע-- --תקו בזקי מכשול ולשון הגברתה בפ- בלא נאספה ואין להרים
קול[ ]ן ל-מודי -- לחיות רוח כושלים ולעות לעאף דבר נאלם כול שפתי
מפ--[ ] בזקי משפט ל--לבי פות-[ ]---[ ]או במרורי [ ] לבב ---רים ממשל
]לים וא[ ]ש התבל---
] נאלמו כאין
] אנוש לא[

] אפ-- [
]ע[ ] -נום בלילה --[
] לאין רחמים באף יעורר קנאה ולכלה [
משברי מות ושאול על יצועי ערשי בקינה תשא [ ] בקול אנחה
עיני כעש בכבשן ודמעתי כנחלי מים כלו למנוח עיני [ ] עמד לי
מרחוק וחיי מצד ואני משאה אלמשואה וממכאוב לנגע ומחבלים — Read למשאה
למשברים תשוחח נפשי בנפלאותיכה ולא הזנחתני בחסדיכה [מ]קץ
לקץ תשתעשע נפשי בהמון רחמיכה ואשיבה למבלעי דבר — Space left for ע
ולמשתוחיחי בי תוכחת וארשיעה דינו ומשפטכה אצדיק כי ידעתי
באמתכה ואבחרה במשפטי ובנגיעי רציתי כי יחלתי לחסדיכה ותתן
תחנה בפי עבדכה ולא גערתה חיי ושלומי לא הזנחתה ולא עזבתה
תקותי ולפני נגע העמדתה רוחי כי אתה יסדתה רוחי ותדע מזמתי
ובצוקותי נחמתני ובסליחות אשתעשע ואנחמה על פשע ראשון
ואדעה כ[י] יש מקוה ב[ח]סדיכה ותוחלה ברוב כוחכה כי לא יצדק
כול במ[שפ]טכה ולא י-[ ]רבכה אנוש מאנוש יצדק וגבר[ ] -
ישכיל ובשר מיצר -[ ] יכבד ורוח מרוח תגבר וכגב---כה אין
בכוח ולכבודכה אין[ ] לחכמתכה אין מדה ולא --[ ]---
ולכול הנעזב ממנה [ ] ואני בכה הצ[
עמדי ולא ה-[ ] שי --[
וכזומם לי ת[ ] ואם לבושת פנים כו[ ]--
לי ואתה בר[ ]תגבר צרי עלי למכשול ל-[
אנשי מלחמ[בו]שת פנים וכלמה לנרגני בי
כי אתה אלי מ-[ ] תריב ריבי כי ברז חכמתכה הוכחתה בי
ותחבא אמת לק[ ]מועדו ותהי תוכחתכה לי לשמחה וששון
ונגיעי למרפא ע[ ]נצח ובוז צרי לי לכליל כבוד וכשלוני לגבורת
עולם כי בש-[ ] ובכבודכה הופיע אורי כי מאור מחושך
האירותה ל ---[ ]ץ מכתי ולמכשולי גבורת פלא ור-וב
עולם בצרת נפל[ ]מנוסי משגבי סלע עוזי ומצודתי בכה
אחסיה מכול מ--[ ] לי לפלט עד עולם כי אתה מאבי
ידעתני ומרחם [ ]אמי גמלתה עלי ומשדי הרותי רחמיך
-לי ובחיק אומנתי[ ]- ומנעורי הופעתה לי בשכל משפטכה
ובאמת נכון סמכתני וברוח קודשכה תשעשעני ועד היום[ ] ---הל-י
ותוכחת צדקכה עם --ותי ומשמר שלומכה לפלט נפשי ועם מצעדי
רוב סליחות והמון [רח]מים בהשפטכה בי ועד שיבה אתה תכלכלני כיא
אבי לא ידעני ואמי עליכה עזבתני כי אתה אב לכול ---אמתכה ותגל
עליהם כמרחמת על עולה וכאומן בחיק תכלכל לכול מעש[י]כה

] הגברתה עד אין מס[
] שמכה בהפלא מ-[
]-ן השבת-[
]-כלו והלל [

] - - - - - - - - - - - [ ]זמת לבכה - -[
]ל ובלוא רצונכה לא יהיה ולא יתבונן כול בחו־[
]־יכה לא יביט כול ומה אפהו אדם ואדמה הוא [
קורץ ולעפר תשובתו כי תשכילנו בנפלאות כאלה ובסוד א־[
תודיענו ואני עפר ואפר מה אזום בלוא חפצתה ומה אתחשב
באין רצונכה מה אתחזק בלא העמדתני ואיכה אכשיל° בלא יצרתה (Read אשכיל?)
לי ומה אדבר בלא פתחתה פי ואיכה אשיב בלוא השכלתני
הנה אתה שר אלים ומלך נכבדים ואדון לכול רוח ומושל בכל מעשה
ומבלעדיכה לא יעשה כול ולא יודע בלוא רצונכה ואין זולתך
ואין עמכה בכוח ואין לנגד כבודכה ולגבורתכה אין מחיר ומי
בכול מעשי פלאכה הגדולים יעצור כוח להתיצב לפני כבודכה
ומה אפהוא שב לעפרו כי יעצור [ ] רק לכבודכה עשיתה כול אלה

ברוך אתה אדוני אל הרחמים [ ]חסד כי הודעת־[ ] ל[ ]ל[
נפלאותכה ולא להם יומם ו־[ ]ל - - ־ל[ ] - ־ל [
לחסדכה בגדול טובכה ור[
כי נשענתי באמתכה[
מצב־ ־כה ובלא ־[ ]גערתכה אין מכשול[
נגע בלוא ידעתה ־[ ]־כה
ואני לפי דעתי באמ[ ] ובהביטי בכבודכה אספרה
נפלאותיכה ובהביני ב־[ה]מון רחמיכה ולסליחותיכה
אקוה כי אתה יצרתה ־[ ]נכה הכינותני ולא נתתה
משעני על בצע ובה - ־ [ ]בי ויצר בשר לא שמתה לי מעוז
היל גבורים על רוב עד־ ־[ ]־וב דגן תירוש ויצהר
ויתרוממו אמקנה וקנין [ ]ענן על פלגי מים לשת עלה
ולהרבות ענף כי בה־ ־ ־ [ ]אדם ולהדשן כול מארץ
ולבני אמתכה נתתה ש־ ־[ ]־ עד ־לפי דעתם יכבד־[
איש מרעהו וכן לבן א־[ ]ש הרביתה נ־ לתו
בדעת אמתכה ולפי דעתו ורב־[ ]־ ־ש עבדכה תעבה - - ־[
ובצע וברום עדנים לא ־[ ] שש לבי בבריתכה ואמתכ[ה]
תשעשע נפשי ואפרחה - - ־שנ־ ולבי נפתח למקור עולם
ומשענתי במעוז מרום ו - - - - - - - - - ־ עמל ויבול בנץ לפני ־[ ]
ויתהולל לבי בחלחלה ומותני ברעדה ונהמתי עד תהום תבוא
ובחדרי שאול תחפש יחד ואפחדה בשומעי משפטיכה עם גבורי
כוח וריבכה עם צבא קדושיכ ב[ה]שה
ומשפט ב[כ]ול מעשיכה וצדק ־[ ]ל
[
]תי
]עתי

בפחד ־ ־יה־ [ ] ־מֿל מעיני ויג־[ ]־ ־ ־ ־ ־ ־[
בהגו לבי
מודה
אודכה אלי כי הפלתה עֿםֿ עפר וביצר חמר הגברתה מודה ואני מה כיא
]־תני בסוד אמתכה ותשכילני במעשי פלאכה ותתן בפי הודות ובלשוני
]ה ומול שפתי במכון רנה ואזמרה בחסדיכה ובגבורתכה אשוחחה כול
היום תמיד אברכה שמכה ואספרה כבודכה בתוך בני אדם וברוב טובכה
תשתעשע נפשי ואני ידעתי כי אמת פיכה ובידכה צדקה ובמחשבתכה
כול דעה ובכוחכה כול גבורה וכול כבוד אתכה הוא באפכה כול משפטי נגע
ובטובכה רוב סליחות ורחמיכה לכול בני רצונכה כי הודעתם בסוד אמתכה
וברזי פלאכה השכלתם ולמען כבודכה טהרתה אנוש מפשע להתקדש
לכה מכול תועבות נדה ואשמת מעל להיחד [ ] בני אמתך ובגורל עם
קדושיכה להרים מעפר תולעת מתים לסוד [ ] ומרוח נעוה לבינת[
ולהתיצב במעמד לפניכה עם צבא עד ורוחי[ ] להתחדש עם כול
נהֿיה ועם ידעים ביחד רנה [
] אודכה אלי ארוממכה צורי ובהפלא[
]כֿיֿ הודעתני סוד אמת [
]יתיֿ[כ]ה גליתה לי ואביט [ ]י חסד ואדעה
] לכה הצדק ובחסדיכה יש[ ]ה וכלה בלוא רחמיך
ואני נפתח לי מקור לאבל מרורים [ ]לא נסתר עמל מעיני
בדעתי יצרי גבר ותשובת אנוש [ ] לחטאה ויגון
אשמה ויבואו בלבבי ויגעו בעצמ[ ]ים ולהגות הגו
°ואנחה בכנור קינה לכול אבל יגֿ[
יגון ומספד מרורים עד כלות עולה וא[ ] °°ואין נגע להחלות ואזֿ
אזמרה בכנור ישועות ונבל שמ[ ]לה וחליל תהלה לאין
השבת ומי בכול מעשיכה יוכל לספר [ ]כה בפֿי כולם יהולל
שמכה לעולמי עד יברכוכה בפי שפֿ[ ]ים ישמיעו יחד
בקול רנה ואין יגון ואנחה ועולה [ ] ואמתכה תופיע
לכבוד עד ושלום עולום ברוך את[ה]שֿר נתתה ל־ ־ ־
ע
שכל דעה להבין בנפלאותיכה ־[ ]ספר ברוב חסדיכה
ח
ברוך אתה אל הרחמים והנינה בגדו[ ]־וכה ורוב אמתכה והמו[ן]
חסדיכה בכול מעשיכה שמח נפש עבדכה באמתכה וטהרני
בצדקתכה כאשר יחלתי לטובכה ולחסדיכה אקוה ולסליחות[יכה]
ב
פתחתה משרי וביגוני נחמתני כיא נשנתי ברחמיכה ברוך אתֿ[ה]
אדוני כי אתה פעלתה אלה ותשם בפי עבֿדֿכֿהֿ ־ ־ ־ ־ ־ ־ ־ ־ ־ ־ [
ותחנה ומענה לשון והכינותה לי ־עול [
ואעצו[ ]ל[ ]בֿ[
ואתה[
אמ[
וא[

° Superlinear addition in the hand of the second scribe
°° Here begins the part written by the second scribe.

]תרה־ נפש[
]ה לבטח במעון ק[ ] ־־קט ושלוה
]אהלו ב־־־ וישועה ואהללה שמכה בתוך יראיכה
הפ
]־דור ותפלה לתנל והתחנן תמיד מקצ לקצ עם מבוא אור
ממ־[ ]בתקופות יום לתכונו להוקות מאור גדול בפנות ערב ומוצא
פ
אור ברשית ממשלת חושך למועד לילה בתקופתו לנות בוקר ובקצ
ע א
האספו ל מונתו מפני/ אגר למוצא לילה ומבוא יומם תמיד בכול /ת
מולדי עת יסודי קצ ותקופת מועדים בתכונם באותותם לכול
ממשלתם בתכון נאמנה מפי אל ותעודת הווה והיאה תהיה
ואין אפס וזולתה לוא היה ולוא יהיה עוד כי אל ה/ד/עות /י /י
הכינה ואין אחר עמו ואני משׂכי־ל ידעתיכה אלי ברוח
ו
אׄשר נתתה בי ונאמנה שמעתי לסוד פלאכה ברוח קדשכה
[פ]תחתה לתוכֹי דעת ברז שכלכה ומעין גבור[ ]־יך
]ה לרוב חסד וקנאת כלה והשב[
]־ הדר כבודכה לאור ע[
]־חד רשעה ואין רמיה[
]־עדי שממה כיא אין ע[
]ין עוד מדהבה כיא לפני אפ־[
]חפזי ואין צדיק עמכה [ ]ה
]השכיל בכול רזיכה ולשיב דבר [
א
־תוכחתכה ולטובכה יצפו כי בחסֿ[
וידעוכה ובקצ כבודכה יגילו ולפי־[ ]כשכלם
הגשתם ולפי ממשלתם ישרתוכה למפלג[ ]בֿ מֿמֿכֿה
לוא לעבור על דברכה ואני מעפר לק־[ ]רצ־י
למקור נדה וערות קלון מקוי עפר ומגבֿ[ ]ה ומדור
חושך ותשובת עפר ליצר חמר בקצ עֿ[ ]־בעפרֿ
אל אשר לקח משם ומה ישיב עפר ו־[ ]יבין
]שיו ומה יתיצב לפני מוכיח בו־[ ]ודש
] עולם ומקוי כבוד ומקור דעת וגבו[ ] א־ המה לֿ[ ]א
ה
]־ לספר כול כבודכה ולתיצב לפני אפכה ואין להשיב
על תוכחתכה כיא צדקתה ואין לנגדכה ומֿה אפהו שב אל עפרו
דברתי
ואני נאלמתי ומה אֿדבר על זות כדעתי מצידוק יצר חמר ומה
אדבר כיא אם פתחתה פי ואיכה אבין כיא אם השכלתני ומה אוֿ[
בלוא גליתה לבי ואיכה אישר דרך כיא אם הכי־[ ]־־[
תעמוד פֿ־[ ]חזק בכֿוה ואיכה אתקומםֿ [
וכול[ ]ו במי ב[

]־ה קודש מקדם ע[
] וברזי פלאך - - - [
] אתה גליתה ידכ̄ה̄ [ ] מעשי [
] מעשיהם אמת [ ]־[ ]־ ואיל־[
]־ וחסדי עולם לכול̄ ־ ־ ־ ־ לשלום ושחת ־[
]ש̄יהם כבוד עולם ־[ ]מחת עד למעשה[
]ע ואלה אשר הכ[־
את כול מעשיך בטרם בראתם עם צבא רוחיך ועדת [
צבאותיו עם הארץ וכול צ־ ־ ־ ־ה בימים ובתהומות [
ופקודת עד כי אתה הכינותמה מקדם עולם ומעש̄ה [
יספרו כבודך בכול ממשלתך כי הראיתם את אשר לא ־[ ]ש̄ר קדם ולברוא
חדשות להפר קימי קדם ול̄[ ]ים נהיות עולם כי א̄ - - - -[ ] ואתה תהיה
לעולמי עד וברזי שכלכה פל־[ ] כול אלה להודיע כבודך̄ [ ] ־א̄ רוח בשר להבין
ב̄כול אלה ולהשכיל בס־[ ] גדול ומה ילוד אשה בכ̄ול ־ ־ ־ ־ ־ הנוראים והוא
מבנה עפר ומגבל מים ־[ ]ה סודו ערות קלן̄ [ ]־ ־ה ורוח נעוה משלה
בו ואם ירשע והיה̄ [ ]ע̄ולם ומופת דורות דרי־[ ] בשר רק בטובך
יצדק איש וברו̄ב רח̄[ ] בהדרך תפארנו ותמ̄ ־ ־ ־[ ] וב עדנים עם שלום
עולם ואורך ימים כי [ ]דברך לא ישוב אחור ואני עבדך ידעתי
ברוח אשר נתתה בי [ ]וצדק כול מעשיך וד־ ־ ־ לא ישוב אחו̄ר̄ ־[
קציך מוע־[ ]ל[ ]רורים לחפציהם ואדע[
ו̄ר̄שע ש[

Fragments from the Scroll of the War of the Sons of Light with the Sons of Darkness

1]מונם[
]ץ בק[
]־ל על כול ה̄[
]כול רוחי רש[
]־דים ליום [
]ל[

2]בורים כיא̄[
]לל[

3]־ ־[
]־ם מכול ומ[

4]־[
]־ררתי[

5]־א[
]וק[

6]לח̄נ־ ־[
]ל[

7]הו[

8]־ יבואו ע־מ̄[
]נקהלים אם̄[
]הו[

9 אל ־[
להסיר ב־[
באבדונו ח[

10]ת ב־[

] בעמך וה̊־־[ ]־־
] אנשי אמת וב̊[
]בי רחמים ועוזי רוח מזוקקי
מ]תאפקים עד [ ] מ̊ש̊פ̊טיכה
] וחזקתה חוקיך[ ] לעשות
]קודש לדורות ע־־־ וכול
] אנשי הזונכה
]א̊דוני הנותן בלב עב־־ ב̊י̊נ̊ה
] ולהתאפק על עלי ־־־ רשע ולברך
]ר אהבתה ולתעב א̊ת̊ כ̊ו̊ל̊ אשר
]ת אנוש כי לפי רוחות [ ]ו̊לם בין
טוב לרשע [ ]־תם פעולתם ואני ידעתי ומ̊בינתך
כי ברצונכה בא[ ]ח קודשך וכן תגישני לבינת̊ך̊ ולפי
ק̊ורבי קנאתי על כול פועלי רשע ואנשי רמיה כי כול קרוביך לא י̊מרו פיך
ו̊כ̊ול יודעיך לא ישנו דבריך כי אתה צדיק ואמת כול בחיריך̊ וכול עולה
]שע תשמיד לעד ונגלתה צדקתך לעיני כול מעשיך
וא]ני ידעתי ברוב טובך ובשבועה הקימותי על נפשי לבלתי חטוא לך
]בלתי עשות מכול הרע בעיניך וכן הוגשתי ביחד כול אנשי סודי לפי
]כל̊ו̊ אגישנו וכרוב נחלתו אהבנו ולא אשא פני ר̊ע̊ וש[ ]לא אכיר
]אמיר בהון אמתך ובשוחד כול משפטיך כי אם̊ לפ̊[ ]ש
]נו וכרחקך אותו כן אתעבנו ולא אביא בסוד־[ ]שבי
]יתך
]ך אדוני כגדול כוחך ורוב נפלאותיך מעולם ועד־[ ]ם וגדול
]ים הסולח לשבי פשע ופוקד עו/ן רשעים [ ] בנדבת ו/
] ותשנא עולה לעד ואני עבדך חנותני ברוח דעה [ ]מת
] ולתע̊ב כול דרך עולה ואהבכה נדבה ובכול לב[ ]ך
]־־ שכל̊י̊ך̊ כי מידך היתה זאת ובלוא [ ]ל[ ]ל
]ל̊[ ]ש̊ ות־־־[ ]שב

For lines 1-8 see pl. 48, top left

ת̄]

ו̄]

תחת]

ק]

רחמי]

בעד]

א
כי]

ב־]

] הבו אותך כול הימים וא[

אמ̄]] ואהבכה בנדבה ובכול לב ובכול נפש ברורתי ־־[

הק]]סור מכול אשר צויתה ואחזקה על רבים מ־[ ]־[

עזוב מכול חוקיך ואני ידעתי בבינתך כיא לא ביד בשר [ ]אדם

דרכו ולא יוכל אנוש להכין צעדו ואדעה כי בידך יצר כול רוח [ ]ו

הכינותה בטרם בראתו ואיכה יוכל כול להשנות את דבריכה רק אתה̄ [ ]תה

צדיק ומרחם הכינותו למועד רצון להשמר בבריתך ולתהלך בכול ולה־־־־ עליו

בהמון רחמיך ולפתוח כול צרת נפשו לישועת עולם ושלום עד ואין מחסור ותרם

מבשר כבודו ורשעים בראתה ל[ ]ונכה ומרחם הקדשתם ליום הרגה

כי הלכו בדרך לא טוב וימאסו בב̄־־[ ]ך̄ תעבה נפשם ולא רצו בכול אשר

צויתה ויבחרו באשר שנאתה כו̄ל̄[ ]ך הכינותם לעשות בם שפטים גדולים

לעיני כול מעשיך ולהיות לאות̄ ־[ ]עולם לדעת ־־־ את כבודך ואת כוחך

הגדול ומה אף הוא בשר כי ישכיל [ ] עפר איך יוכל להכין צעדו

אתה יצרתה רוח ופעולתה הכינו[תה] ומאתך דרך כול חי ואני ידעתי כיא

לא ישוה כול הון באמתך ואי־[ק]ודשך ואדעה כי בם בחרתה מכול

ולעד הם ישרתוך ולא תק־[ ]־לא תקח כופר לעלילות רשעה כיא

אל° אמת אתה וכול עולה ת[ ]־־ לא תהיה לפניך אני ידעת[י

כי לך [ ]ל־־[ ] ע̄שה וא[ ] ל[

אל in ancient Hebrew script.

]-יק ו-[
ברוח קו[ ]ה--[ ]- ולא יוכ[
רוח קוד[ ]מלוא ה[ ]-ים -- -ארץ]בודך מלוא כ[
ואדעה כי ברצו[ ]באיש הרביתה ---[ ]-ד אמתך בכול [
ומעמד צדק א------- אשר הפקדתה בו פ- י---[ ]--י כשול בכול מ[
בדעתי בכול אלה -- מענה מענה לשון להתפל ולה[ ]ל פשעי ולבקש רוח-[
ולהתחזק ברוח ק-[ ]ולדבוק באמת בריתך ול---ך באמת ולב שלם ולאהוב את ---[
ברוך אתה אדוני יוצר[ ]כו[ ]ור[ ]העליליה אשר מעשיך הכול הנה הואלתה לע---[
חסד ותחונני ברוח רחמיך ו-[ ]וד כבודך לך אתה הצדקה כי אתה עשיתה את כו[
ובדעתי כי אתה רשמתה רוח צדיק ואני בחרתי להבר כפי כרצו[ ]ונפש עבדך ח- -ה כול
מעשה עולה ואדעה כי לא יצדק איש מבלעדיך ואחלה פניך ברוח אשר נתתה -- להשלים
[ ]דיך עם עב[ ]ל[ ]לטהרני ברוח קודשך ולהגישני ברצונך כגדול חסדיך [ ]בשות[
עמד-[ ]--- מעמד רצ[ ]אשר בח[ ]- לאוהביך ולשומרי מ[ ]--ת[
לפניך [ ]לם -[ ]-ד-[ ]ע[ ]התערב ברוח עבדך ובכול מעש[ ]ל[
--עיה ל--[ ]ו ואל י[ ]לפניו כול נגע מכשול מחוקי בריתך כי[
כ-וד וא-[ ]ורחום א[ ]ך א[ ]ם --- חסד ואמת ונושא פשע [
ונחם על [ ]ושומרי מצו[ ]שבים אליך באמונה ולב שלם [
לעובדך[ ]טוב בעיניך אל תשב פני עבדך [ ]ל[ ]בן אמת[
]ה ואני על דבריך קר-- [
]---[

[משפלת מדה מ־]
[מגולה בלוא מ־עופ]
[בים אוכלת ־ש]
[ת ביבושה ומכש]
[פוגעות פתע פתאו]
[משפט מרוח דורש]
[־תרמה ב־]   [מצוה   מרוח כו]
[־ בנגיעי ב]   [   ]
[מנסתרות אש]   [שר לא השיגום במ]
[וממשפט קצ־]   [שבות רשעה נער־]
[ין וממשפט אח־]   [עבדך מכול פשעיו]   [חמיך
[ברתה ביד מושה]   [־עוון וחטאה ולכפר בע]   [־ ומעל
[מוסדי הרים ואש]   [ה בשאול תחתיה ואת הנו]   [במשפטיך
ו
[־ה לעבדיך באמונה]   [־יות זרעם לפניך כול הימים ושם]   [הקימותה
[־שע ולהשליך כול ע־־־־ם ולהנחילם בכול כבוד אדם]   [רוב ימים

[־ מרוחות אשר נתתה בי א־־־אה מענה לשון לספר צדקותיך וארוך אפים
[־ ומעשי ימין עוזך   ־־־־־ות על פשעי ראשונים ולה]   [ל ולהתחנן על
[־־ מעשי ונעוית ל־־־ כי בנדה התגוללתי ומסוד]   [תי ולא נל־תי
[לך אתה הצדקה ולשמך הברכה לעול]   [צדקתך ופדה
[תמו רשעים ואני הבינותי כי את אשר בחרתה]   [דרכו ובשכל
[שכהו מחטוא לך ול]   [וב לו ענותו ביסוריך ובנס]   [־ה לבו
[עבדך מחטוא לך ומכשול בכול דברי רצונך חוק מ]   [ד על רוחות
[תהלך בכול אשר אהבתה ולמאוס בכול אשר שנא]ת   [הטוב בעיניך
[לתם בתכמי כי רוח בש]   [עבדך
[הניפותה רוח קודש]   [על עבדך]   [הר מ]   [ת־ לבו
[ש ואל כול ברית אדם אביט]   [ה ימצאוה
[יגיה ואוהביה]   [עולמי עד

אוׄרׄכה ותעמד מא[
אוׄרׄכה לאין השבׄ[
כיא אתכה אור לׄ[
ותגל אוזן עפרׄ[ ] והולׄ[
מזמה אשר הו[ ] אפוׄ עׄ־ך ותאמנה בׄאׄ[
עבדכה עד עולם [ ]מׄועות פלאכה להוׄפׄיע
לעיני כול שמעי[ ] בימין עוזכה לנהל ־ל[
בכוח גבורתכה [ ]לשמכה ויתגבר בכבוׄ[ ]־־
אל תשב ידכה [ ]היות לו מתחזק בבריתכה בשר ב[
ועומד לפניכה [ ]ור פתחתה בפי עבדכה ובלשונו מלאכי ש־[
חקקתה על קו[ ]שמיע ליצר מבינתו ולמליץ באלה אלים ממכון [
לעפר כמוני ותפתׄחׄ מׄק[ ]להוכיח ליצר חמר דרכו ואשמות ילוד אדם על ־[
אשה כמעשיו ולפתח מ[ ]־ אמתכה ליצר אשר סמכתה בעוזכה ־לשל־ [
לׄ[ ] כאמתכה מבשר[ ]־ טובכה לבשר ענוים לרוב רחמיכה בק־[
]־ע ממקור ־[ ]־אי רוח ואבלים לשמחת עולם
]תים ל[ ] לׄ[ ] שׄעׄ ילוד א[
]־כה־ צדקתכה
]־א ראיתי זות
]־ אביט בלוא גליתה עיני ואשמעה
]־־ השם [ ]בׄבי כיא לערל אוזן נפתח דבר ולב
]־ ־ ואדעה כיא לכה עשיתה אלה אלי ומה בשר
]־ פליא ובמחשבתכה להגביר ולהכין כול לכבודכה
] צבא דעת לספר לשר גבורת וחוקי נכונות לילוד
]אותה בברית עמכה ותגלה לב עפר להשמר
] מפחי משפט לעומת רחמיכה ואני יצר
]־ר ולב האבן למי נחשבתי עד זות כיא
]תׄתה באוזן עפר ונהיות עולם חקותה בלב ־ז־[
] השבתה להביא בברית עמכה ולעמוד פיכה [
]במכון עולם לאור אורתום עד נצח ו־־־ חושך בבר־[
]־ סוף וקצי שלום לאין ח[
] ואני יצר העפר ־[
]ה אפתח[
]־צ[

Frag. 1

For the transcription of right hand part of fragment see col. 18 (Pl. 52)

]דש אשר בשמים
]דול והואה פלא והם לוא יוכלו
]תיכה ולוא יעצורו לדעת בכול
]ב אל עפרו ואני איש פשע ומגולל
]אשמת רשעה ואני בקצי חרון
]תקומם לפני נגעי ולהשמר
]־ענו אלה כיא יש מקוה לאיש
]געל ואני יצר החמר נשענתי
]אלי ואדעה כיא אמת
]אחור ואני בקצי אתמוכה
]־מה במעמד העמדתני כיא
]איש ותשיבהו ובמה ית[
]היצר ־ ־ ־ ־ [

Frag. 2

]־ הו־[
]ים ושללכה [
]־ ־ ובארצכה ובבני אלים ובבנ[ ]־רוע[
]ללכה ולספר כול כבודכה ואני מה כיא מעפר לוקחתי וא[
]־ודכה עשיתה כול אלה כרוב חסדיכה תן משמר צדקכה
]ה תמיד עד פלט ומליצי דעת עם כול צעודי ומוכיחי אמת
]־ ־ כיא מה עפר בכ־[ ]שה אפר בידם לוא הנה ואתה י־[
]חמר ומצו[ ]רצונכה על הבנים תבחנני ע[
]גו ולכה[ ]ל־ברי ועל עפר הניפותה רוח לב[
]במיט[ ]־ אלים להחיד עם בני שמים כיא[
]ולם ואין תשבת חושך כיא כל[
] ומאור גליתה ולוא להשיב
]דשכה הניפותה לכפר אשמה ־ ־ ־ [Written on erasure
]רתים עם צבאכה ומתהלכים אל ש־[
]־ בות מלפניכה כיא נכונו באמתכה לחזקם[
]הפלתה אלה לכבודכה ומצידוק בנחלתו [
]ל־ ־ ־ל עול יצר נתעב כול מכ[
]־ר נתעב תב־[
על [

Frag. 3

]שה - - -[
]הוא [ ] יה נפתחה דרך ל[
]נתיבות שלום ועם בשר להפליא[
]ופעמי על מטוני פחיה ומפרש[
]אשמר ביצר עפר מהתפרר ומתוך דונג -[
]מקוי אפר איכה אעמוד לפני רוח סוע[
] וישמורהו לרזי חפצו כיא הוא ידע למ[
]ר כלה ופח לפח יטמונו צמי רשעה [
]ו בעול ותמו כול יצר רמיה כיא לא -[
]לאין ואפס יצר עולה ומעשי רמיה [
ו
[ואני צר ה]
]מה יתחזק לכה אתה אל - - - - -[
] עשיתם ומבלעדיכה לוא - - - - -[
]- - העפר ידעתי ברוח אשר נתתה בי - -[
]מה[ ]ל עולה ורמיה יגורו וחדל זדון[
]-עשי נדה לתחלויים ומשפטי נגע וכלה[
]- - ח[ ]-ש[ ] לכה חמה וקנאה נו[
]יצר - -[

Frag. 4

]-גת[
]- אשר [
]ב ובוקר עם -[
]עי גבר וממכ[
]ורת יצפו ועל משמרתב[
ע
]תגר בכול שטן משחית ומר[
]בה ואתה גליתה אוזני כי[
]-דר אנוש וברית פותו בם ויבוא[
]כחות לפניכה ואני פחדתי ממשפטכה[
]יכה ומי יזכה במשפטכה ומה אפה[
]אני במשפט ושב אל עפרו מה - -[
]ל- פתחתה לבבי לבינתכה ותגל או[
]להשען על טובכה ויהם לבי -[
] ולבבי כדונג ימס על פשע וחטאה
]תימה ברוך אתה אל הדעות אשר הכינו[תה
] ותפגע בעבדכה זות למענכה כיא ידעתי
ו י
] כה אחל בכול היותי ושמכה אברכה תמיד
]קיה ל[ ]דכה אל תעזובני בקצי
]- וכבודכה וט-[
] על -[

Frag. 5

]־ט צדק ־[
]הפרידם ממעמד ־[
]ות עם עֲדֲת קדושיכה בהפלא[
]ד ע[ו]לם ורוחות רשעה תבית מא[
־־ לוא יהיו עוד ותשם מקום ר[
רֲוחות עולה אשר יושדו לאבל [
ועֲדֲן לדורי נצח וברום רשעה למ[
רבה אנינם לכלה ונגד כול מעשׂ[
חסדיכה ולדעת כול בכבודכה ולפ־[
משפט אמתכה ואוזן בשר גליתה ו[
לבכה וקצ תעודה השכלתה לב־[
וביושבי האדמה על האדמה וגם[
הושך תריב לאצו[ ] ־דוק ולהר[
ולוא להפרד [ ] ־ברכה [

Frag. 6

] ־־־ רשע
] ־־־־־ם ובמשפטים
] ממזרים להרשיע בבשר
]כן רוחם להושיע
]לא רזיכה גליתה
]אֲני לבשר ידעתי
]ם עולה בקצ
]יה ולכול מֲביט
]ולו יכחד (א above the line)
]בדתה מבני
]בֲולות עמים
]רבות אשמה
]עֲזבתם ביד
] א־־ד

Frag. 7

עֲוד [ ]ֲחמ[
רום לאין שרית ־־[
וגבוה בקומה ועם [
]־ עולם וכשלי ארצ ו[(ו above the line)
]־ ושמחת עולם במכונו ־[
]ידעתי להודיע גבורה ו ־־־ [(dots above and below)
]אל בדעתם ברית חסד [
[אל הצדק והשכל [
]־ה בֲכֲוה גבורה וה[
] מֲלכי ־דם מה בשר לאלה[
] ־־מתו ולהתיצב ־מעמ־[
]רומם לֲהֲשֲיב דבר בֲ[
ל[ ]ֲת וֲ[

Frag. 8

ל־[
מענ[
יתרומ[
עצה ו[
משרתים [
והכירום [
ולהלל ל[
ספרתי וע[
הדעות ־פֲי[
למשכיל מ־־[
כיאֲ[

Frag. 9

]שר
]דכה
]אבֲי
]להֲשנות
]ופפו בה כול
]־ם בעבותי רוח ותכנע
]יכה במעון כבודכה ואתה
] אסיר עד קצ רצונכה
]רמות כוח ורוב בשר להרשיע
]א להכין בסוד עמכה
] ממזרים כולֲ [
] גדוֲ[ ]ל[

Frag. 10

[נכה [ ]שכלתי]

[אכה מה נשיב כי גמלתנו ו]

[לא יעצרו כוח לדעת בכבוד]

[לליה לפי שכלם וכפי דעת־]

[לאין הש־ - - - - - לקץ ישמיעו ומי־]

[ואנחנו ביחד נועדנו ועם // ־דעים]

[ח עם גבוריכה ובהפלא נספרה יחד בדע]

[וצאצאינו הוד[ ]־ בני איש ב־יך]

[פלא מאדה [ ] [

מבין

[- -ב למש[ ] רנה]

Frag. 11

[- - - -]

[־מדה לכול שני עו]

[מ־ ־ר כול חותם נפ־ - ־ש ־]

[־ ־רוחם בני איש לפי שכלו ־ח]

[- - מלכותו מי עשה כול אלה]

[־תם ולך חמד ובצדק תשימ]

[לפניך [ ]תהו ויצר ה]

[יענה נכבדתה מכול א]

[קודש וכאשר בנפשך ־]

[לשמך תב[ ] בעדת ־]

Frag. 12

[קדש בל יטה[ ] לאש[ ]־ר ל־]

[עד עולם [ ] ־קור און - - ־]

[־להק־ ־ש־ בפי כל מעש־ ־ ־מל־]

[־לם ורוח עורף ק־ ־ לדממ־]

[להאזין קול נכבד [ ]־ש]

[וח נעוה מעול]

[מ - - - - -]

Frag. 13

[־ כול ־[ ]ו ו־]

[שפת הביא במספר

[תו בשמים ובארץ

[ות ובידך משפט כולם

[דך ומה נחשבו ע־ -

[היו ולא יעשה כול

[ולעצתך פקד א־

[־ - עם - ־א

[אל]

Frag. 14

[מרוח

[תאוה בלוא

[לוא משפ־

[כדונ]

[נת־ - -

[מ־ - - -

[

[דף

Frag. 15

[- - - - - -

[שי עולם

[- - - ־הת־ ־[ ]ש התהלכו

ו

[ולהבין פתאים בכוח גבורתך

[־ת ולהבין אנוש חקר כול

[אתה אדוני א[ ]כינותה ש־]

[־ד עם רוב טוב קדושים שומ]

[־ת כול בינה ו־בינתך לא

[צדק

Frag. 16

] מרות [
] שוקים ־[
]חמיו על אביונ[
]ה ומי מתכן [
] ומי מתכן גבור־[
]־ עולם מי חוש[
] קדומים ־־[
] ־רתכה [

Frag. 17

]ש־ ־ רוחב [
]אחך וקנאת משפ[
] ורזי מחשבת ורז־[
]לעולמי עד אתה הוא [
]־וד כבודך ובעומק [
] רע הוכמה ואול[
]לת[

Frag. 18

] ־עור־[
] אוזננו [
] שכל ומבקשי בינה ־[
] עוני וברורי מצרף [
]וצופים ל־ישועתך [
]ט תבל ולנחול[
] ־עשי־ [

Frag. 19

] כה ימשול בשר [
]־ הוא ותבן בעזר את ־־[
]רקיע על כנפי רוח ויפ־[

Frag. 20

] שים לכ[
] לשפוט בם [
]־ רקיע קודשך [
]כול מחשבותך לכול קצי עו־־[
]־[ ] בם בעבור [

Frag. 21

]ם[
]ו ו־ ־ ־ר נדי[
] אתה מנחם אבל[
] נגע ובברכות ־[
]כה אל[ ] ל[

Frag. 22

] ־־[
] בכול [
]־ם עם תענ[
] [
]ל אלה ולה־[
]י רצונך [
]ל ־ברך [

Frag. 23

]־תי־ [ ]־ כי
]־ ־א ־עולמי [
]־ בהמון רנה [
]נכה [ ]ל[

Frag. 24

]ב בשובך ־־[
]דת קדוש [
]ע בין ט־־[
]עים ו־ ־ ־[

Frag. 25

]ני ברזי [
]־ם בסביביה פן ־נדב[

Frag. 26

מ־ ־ [
אמת ־־[

Frag. 27

] עד [
]ל אלה וא־ה [
] ־ ־ ־ ־ץ בש[

Frag. 28

] ־־[
]־ נהיה בתבל [
] ־ לאנשי ־ה־[

Frag. 29

]ב[
]־ חזונו [
]בהוות[

Frag. 30

] ברתכ[
]שתע־ ־ עוד ב[

Frag. 31

] בשר וסוד רוחו[
] שר בד־[

Frag. 3

] קודשך [
]כי ב־ ־[

Frag. 33

]ק להתבונן [
]והיך ו[
]ל[

Frag. 34

לכה
]דה ונר[
]־עד [
]אדם [

Frag. 35

] עוון ־־[
]כי אין כ[
]־ ותוד[

Frag. 36

]־נה [
] בנך ולספר [

Frag. 37

]ושיכה ובפק[
]כה בני ־[

Frag. 3

]דושים [
] וברכו שמ־־[

Frag. 39

]שפטכ[

Frag. 40

]ך א־־תן [
] מענה [

Frag. 41

]תה בל[

Frag. 42

]הפליא[
]ר נפלא[
]בודכה [

Frag. 43

] בחרו ב[

Frag. 44

]שמ [
] צדק כי [
]ות [
]כן [
]שה [

Frag. 45

] צדקה וע[
]עׄב לחׄת בעת עוונו־[(ש above the line)
]־ם כול שטן ומשחית[
]בׄרׄשתם ולשלחם גוי בׄ[
]איש זׄודן בׄמרבי מעל וע[
]בים בבסר כי כול רוחותׄ[
]הרשיעו בהייהם [
]ל[

Frag. 46

־]
]דׄעתה רומם ־]
]־ יש במזמת [
]שׄפוט במרום [
] ביושבי ביח־]

Frag. 47

]הׄ נשמח [
]נדיבים לוא כׄ[
לי מאז כוננתי לׄ[
לוא יבוא כי־[
כמבניתי ותכמ[

Frag. 48

]־ר כמוני [
]בודכׄהׄ ־[
]מכה בהׄל או־[(ב above the line)
]דש על ידי גבורתׄ[
]בפ־[ ]ל[

Frag. 49

]ולרהמ[
]־ עתה א[
] עׄותמד־[
]מע[

Frag. 50

] ־־[
] יצר ב[
]מו ויע[
]ה למל[
] ורזי פשע־[
]צוי ע[ ]ל[

Frag. 51

] עד־[
] לא [
]אהשׄ[ ]ים תׄ[
] תהתיה[ ]־ש[
] כיא אין מ[
]־ת־[

Frag. 52

]־־־ עצמתׄהׄ וי־פׄהׄ [
] ביש־־ ללוא מקו[
] ואני יצׄר [

Frag. 53

] ־של [
]ירו בשמ־ [
]ןׄ הקו־ [

Frag. 54

]בשמחה ו[
]וברכה ב[

Frag. 55

] ־־[ ]ים ולגלות נׄסׄתרות ־־[
]פילנו עדת רום גא־[
]ל[ ]ל[

Frag. 56

] כול
ו[
יבׄוא [
וכבוד [
בו וה[
] מח[

Frag. 57

] ־־־שמ [
]־ד קׄצׄ[
] במשפטו [
] ־־כבש [

Frag. 58

] אב[
] להפׄ[
] ־־ר־[
]ה ולהבי[
]דׄ קץ משפטכ[
] לרוות בשמ[

Frag. 59

] ־־־־־ [
] ־־־ את [
] קץ תׄעׄיׄ[
]־ים למ־[

Frag. 60

ה[
כ־[
ר־[

Frag. 61

] ־־[
] תהמׄ[
]ות־[

Frag. 62

] שד[
רצו [
בל[

Frag. 63

] ־־[ ]ו ול[
]ים ובסוד קד[
] ־־־ [

Frag. 64

] ־־־־ [
] פתח ל־חות [
] ־בע־ [

Frag. 65

] ־־־־ [
כיא מאו[
ולטהר פשׄ[
ברצונכ[

Frag. 66

] ־־ [
]ע ומ[
]ישׄל ע[
] ־מרׄ [
] נע[